Administrando
bien La Vida

Natalio Aldo Broda

EDITORIAL
UNILIT

Publicado por
Editorial **Unilit**
Miami, Fl. 33172
Derechos reservados

Primera edición 2000

Cubierta diseñada por: Osvaldo González

Citas bíblicas tomadas de la Santa Biblia, revisión 1960
© Sociedades Bíblicas Unidas
Usada con permiso.

Producto 495123
ISBN 0-7899-0760-7
Impreso en Colombia
Printed in Colombia

SUBTEMAS Y BOSQUEJOS
CONTENIDOS EN EL LIBRO:

ANTIGUO TESTAMENTO
Mayordomía del Antiguo Testamento.

PRÓLOGO

Es para mí un gran honor presentar a los lectores de habla hispana un libro realmente original y valioso sobre el tema de la administración de la vida —mayordomía total—, más aún cuando el libro ha sido escrito por un entrañable y querido amigo de toda la vida.

Aldo Broda ha cumplido a lo largo de los años un ministerio extraordinario de predicación, enseñanza y práctica de la mayordomía, tanto en Argentina como en todos los países hispanoamericanos. Ha publicado ya otros libros que han sido muy bien recibidos por los lectores y se utilizan para cursos y talleres en gran cantidad de iglesias.

El autor ha sentido la necesidad de publicar un libro de bosquejos e ilustraciones para sermones que pudiera servir al ministerio de la predicación y hoy nos gozamos en presentar un material de esas características, como un aporte valioso y creativo para todos los pastores y predicadores.

Este libro es realmente original por muchas razones:

1.

Recorre toda la Biblia en una diversidad de temas y bosquejos que son tratados con mucha profundidad y erudición.

2.

Presenta una gran cantidad de ilustraciones sumamente valiosas por su originalidad y pertinencia, porque provienen de muchos años de experiencia y reflexión compartida.

3.

Quizás lo más importante, la tremenda solidez bíblica de sus exégesis que se perciben enraizadas en una profunda tradición evangélica y bíblica.

Estas cualidades que menciono no son tan comunes hoy en tiempos de gran pluralismo de interpretaciones y prácticas en el mundo evangélico.

Cuando uno ha cumplido por más de cuarenta años el ministerio pastoral y la docencia teológica como en el caso de un servidor, tiene el trasfondo y la experiencia para poder reconocer lo que es realmente valioso. Creo que Dios ha inspirado la presentación de esta obra que será de gran bendición para el ministerio de la iglesia evangélica en hispanoamérica.

Dr. Daniel E. Tinao

INTRODUCCIÓN

Al preparar este libro tuve por objetivo cubrir una de las necesidades que he observado en el ambiente de nuestras librerías, un material que pudiera ayudar a los pastores, obreros y líderes de nuestras iglesias a preparar sermones sobre el tema de la Mayordomía Total.

Mi experiencia por más de 50 años hablando sobre el tema me ha permitido reunir una cantidad de bosquejos de entre los cuales he seleccionado los que me han parecido los más prácticos para posibilitar que los predicadores o maestros pudieran contar con una ayuda para preparar sus propios sermones.

Los he dividido por subtemas, siguiendo el orden bíblico, para que de esa forma se vea facilitada la tarea pastoral y se puedan seleccionar los temas que se deseen enfatizar.

La *Mayordomía* es un tema casi olvidado en muchas iglesias, pero que gracias a Dios en los últimos años ha comenzado a despertar. Originalmente fue aplicado solamente en relación al dinero, pero a través de estos bosquejos queremos ayudar para que sea comprendido su alcance a todos los valores humanos, sin olvidarnos del dinero.

El contenido de los bosquejos mantiene la faz teórica y práctica de la *Mayordomía Total* y se basa exclusivamente en las Sagradas Escrituras, dejando de lado pensamientos humanos que pudieran alejarnos de lo que en realidad es la voluntad de Dios.

Estaremos utilizando el término *mayordomía* que equivale a *administración de la vida*. Cuando utilizamos el término *Mayordomía Total*, estamos haciendo referencia a una correcta administración de toda la vida. En pocas palabras, *dones, talentos, tiempo, capacidades, conocimientos y bienes*.

Los bosquejos, están preparados como guía, el pastor o líder podrá adecuarlos a su manera. También podrá modificar los títulos o subtítulos, como así también las subdivisiones de los temas. Inclusive podrá agregar o quitar alguna cita bíblica si lo desea. Se incluyen también ilustraciones y ayudas para cada tema por si quieren ser utilizadas. Éstas pueden ser reemplazadas si se considera más conveniente, o utilizadas en otros subtemas.

Este libro puede ser de utilidad también para cursos, estudios y clases de Educación cristiana, tanto en la Escuela Dominical, como en diversos departamentos de la iglesia, utilizando los bosquejos como base para las lecciones, aprovechando a su vez las ilustraciones.

También es apto para la lectura y estudio individual, ya que servirá como ayuda y capacitación del lector para entender mejor este aspecto tan importante de la vida.

Es mi sincero deseo de que por el uso de este material la gloria de Dios pueda ser exaltada.

Aldo Broda

Antiguo Testamento

Mayordomía del
Antiguo Testamento

1.- LA MAYORDOMÍA Y LA CREACIÓN.

"...En el principio creó Dios..." Desde el primer capítulo de la Biblia se destaca el principio de mayordomía. Al crear Dios todas las cosas y ponerlas a disposición del ser humano, automáticamente determina que el hombre es **mayordomo** de lo creado.

Esta primera *mayordomía* que surge en la Biblia, alcanza a todo ser humano, sea creyente o no, crea éste en dioses diversos o se declare ateo. Todos somos **mayordomos** de lo creado y a su tiempo tendremos que dar cuenta de ella. Es algo que el hombre, creación de Dios, no puede eludir aunque quiera.

La **mayordomía** que notamos en el comienzo del Antiguo Testamento, tiene que ver primeramente con la **ecología y la salud del ser creado** y durante su transcurso se observan diversas responsabilidades que se agregan a ese principio para con el **mayordomo:**

a)   Formas de administración de la vida.

b)   Disposiciones que determinaban sujeción y respeto a las leyes y ordenanzas.

c)   Castigos para quienes no fueran correctos **mayordomos** de las disposiciones divinas.

d)   Inflexible disposición de Dios para el cumplimiento de una correcta **mayordomía.**

BOSQUEJO 1.1.
TÍTULO DEL MENSAJE:
La mayordomía general.
Pasaje bíblico: Génesis 1:1 y 26 al 31 - Salmos 24:1-2

Introducción:

¿Qué deseamos expresar cuando hablamos de **mayordomía general**? Es la idea de una **mayordomía** que surge como consecuencia de la creación y tiene por alcance a todos los seres humanos.

1.- La obra de la creación determina la mayordomía general.

a)   Somos seres creados, dependemos de Dios. Nuestra vida no nos pertenece, es creación de Dios.

b)   La tierra es de Dios, somos responsables de la ecología, Dios nos la otorgó para cuidarla.

c)   Somos responsables de administrar todo lo creado, nada nos pertenece, somos **mayordomos** de Dios.

2.- La obra de la creación determina una mayordomía que no podemos eludir.

a)   Todos somos **mayordomos** de todo. Nuestra actitud negativa no cambia la condición. Sí o Sí, no hay otra alternativa.

b)   ¡El ateo no puede eludir ser **mayordomo** de Dios! ¡Qué ironía! Él también es creación de Dios.

c)   ¡El que adora a otros dioses es también **mayordomo** de Dios. Una fe equivocada no cambia el panorama.

d)   La **mayordomía general** fue establecida por Dios, no por lo hombres.

3.- Dios nos demandará cuentas de nuestro comportamiento como mayordomos.

a)   Por esta razón es necesario enseñar a todas las personas sobre la **mayordomía.** Predicar la **mayordomía** hará que los creyentes tomen conciencia de que ésta es una doctrina bíblica y espiritual de trascendencia a través de toda la Biblia y de la historia de la iglesia.

b)   Necesitamos orientarles sobre la responsabilidad que tienen aun sin ser creyentes. El mundo fue hecho perfecto. Las imperfecciones que se notan ahora son obra de los hombres.

c)   Como creyentes debemos tener especial cuidado de la ecología. Debemos entender que desde el primer versículo de la Biblia la **mayordomía** está presente. El mundo necesita de nuestro ejemplo.

Conclusión:

Es un tema que debemos investigar con mayor frecuencia, enseñar y predicar con regularidad. Es algo que los miembros de la iglesia deben vivir constantemente. Es una de las prioridades que la iglesia debe tener en cuenta en su enseñanza.

BOSQUEJO 1.2.
TÍTULO DEL MENSAJE:
El ser humano y la mayordomía general.
Pasaje bíblico: Génesis 1:26-31 - Salmo 8:1-9.

Introducción:

El hombre ha olvidado la soberanía de Dios sobre su vida. Actúa a su voluntad desobedeciendo las leyes de quien creó el mundo. Vive fuera de la verdad bíblica y de la voluntad de Dios.

1.- El ser humano es creación de Dios.

a)   Dios es su dueño. Por lo tanto no se pertenece.

b)   Debe su existencia al Dios creador. Su vida depende de Dios.

   c)   El ser humano es sólo **mayordomo** de Dios.

2.- Dios dio privilegios al ser humano.

   a)   Dios lo colocó sobre toda cosa creada.

   b)   Dios lo hizo poco menor que los ángeles.

   c)   Dios le estableció reglas para vivir en armonía.

   d)   Dios lo nombró **mayordomo**.

3.- El ser humano utilizó los privilegios.

   a)   Trató de vivir de la mejor forma. Se aprovechó de todo lo creado.

   b)   Usufructuó la tierra en su beneficio. Sacó ventajas de la generosidad de la naturaleza.

   c)   Fue un mal **mayordomo** de los bienes creados.

4.- El ser humano ignoró las responsabilidades.

   a)   Desobedeció las leyes de Dios. Vivió ignorando a Dios.

   b)   Teniendo tanto derecho se creyó un dios en sí mismo. Descuidó la ecología.

   c)   Fue un mal **mayordomo** de las leyes que Dios le estableció.

Conclusión:

   ¿Qué podía esperar el ser humano? ¿Felicitaciones? ¡NO! ¡Dios castigó la tierra! Perdió los privilegios de la creación y mientras no vuelva a ser el **mayordomo** que Dios determinó, no tendrá paz. Nosotros debemos aprender la lección y actuar de forma tal que evitemos el error cometido por el hombre.

BOSQUEJO 1.3.
TÍTULO DEL MENSAJE:
El pecado nos aleja de la mayordomía general.
Pasaje bíblico: Génesis 2:1-25; Ezequiel 28:13-19

Introducción:

   La soberbia del ser humano le llevó a querer ser como Dios, pero su pecado le alejó de las bendiciones que Dios había dispuesto para él. Dejó el ser humano de ser **mayordomo** de Dios y al alejarse de sus responsabilidades recibió el castigo.

1.- Su pecado fue querer ser como Dios.

a) El ser humano está inclinado hacia la desobediencia.

b) Dios limitó los derechos del ser humano a lo que Él entendía debían ser para su bienestar.

c) El ser humano no respetó la voluntad de Dios y ese pecado Dios no lo perdonó.

d) Su comportamiento fue de un mal **mayordomo.**

2.- Ser mayordomo de Dios le pareció poca cosa, quiso más.

a) El ser humano menospreció los privilegios. Su pecado lo alejó de Dios.

b) El ser humano quiso ser Dios. Por no conformarse como **mayordomo,** perdió sus derechos.

c) Su **mayordomía** ahora no tenía razón de ser.

3.- Necesitamos aprender la lección.

a) No menospreciemos los privilegios que Dios nos ha dado.

b) No eludamos las responsabilidades que esos privilegios conllevan.

c) Vivamos como seres humanos, preocupados por nuestra **mayordomía** general.

Conclusión:

No debemos descuidar nuestra responsabilidad como **mayordomos.** Vivamos como seres humanos respetando las leyes de Dios. Seamos celosos defensores de la naturaleza que Dios creó. Prediquemos la **mayordomía** como una verdad bíblica y espiritual.

ILUSTRACIONES Y AYUDAS: Bosquejos 1.1. a 1.3.

1.- El Dios creador que restaura.

Me encontraba una noche asistiendo al culto en una modesta iglesia. Como parte de la alabanza y la adoración, una pareja de jóvenes —hombre y mujer— estaba cantando, alabando a Dios con canciones espirituales y con un elevado grado de profesionalismo. Daban a entender que no solamente tenían buena voz, sino que sentían responsabilidad por el ministerio que estaban desarrollando.

En un intervalo entre las canciones el hombre comenzó a dar su testimonio. Fue conmovedor saber que desde joven había sido drogadicto y que había sido dominado por las drogas en una forma terrible. Intentó salir varias veces de su situación pero le fue imposible, no tenía ya fuerzas para luchar. La droga había dañado tanto su salud, que tenía dificultades para hablar y aun para oír. Pensó que jamás volvería a la normalidad.

Un amigo suyo le llevó a un centro de rehabilitación cristiano y allí trataron de recuperarlo, pero era inútil, él mismo se negaba a aceptar a Dios. Sus amigos oraron por él y un día en medio de su desesperación fue tocado por el Señor en forma maravillosa. Dios le dio una oportunidad de recuperación y él la aceptó. Su cambio fue tremendo, recuperó la voz —nadie pensaba que pudiera volver a hablar con normalidad—, su oído se normalizó. Comenzó a asistir a la iglesia cristiana evangélica, conoció a su compañera que era ahora su esposa y juntos están desarrollando un ministerio a través del canto, ministrando también a los jóvenes con problemas.

Su testimoio fue impactante y de inmediato vino a mi mente la realidad de lo que el hombre ha hecho con la creación. Su cuerpo, obra perfecta de la creación, era destruido por su mala **mayordomía**. El pecado carcomía su perfección mientras el hombre desconocía la soberanía de Dios. Al volver al reencuentro con Dios, ese Dios Creador comenzó a recrear su obra y la perfeccionó de nuevo. Lo destruido fue reedificado. Lo despreciado volvió a ser aceptado y lo que la sociedad arroja por inútil, Dios le dio valor. Maravilloso ejemplo del **mayordomo** que reconoce a su Señor.[1]

2.- El Dios creador que cuida.

En el campo de mis abuelos paternos ocurrieron muchos acontecimientos que hablan acerca del cuidado que Dios tiene de sus hijos cuando éstos reconocen la soberanía de Dios sintiéndose fieles **mayordomos.** Por la simple lectura de la Biblia, sin escuchar predicadores ni nadie que les testificara, llegaron a convertirse al Señor y de inmediato sintieron la necesidad de testificar del poder del evangelio. Sus vidas y su campo fueron puestos al servicio de la extensión del evangelio.

En una oportunidad en que la cosecha de trigo estaba lista para ser levantada, una gran tormenta de verano se acercaba, amenazando ser acompañada de fuerte granizada. Todo el trabajo del año y la esperanza puesta en la futura venta de la cosecha estaba en inminente peligro. Toda la familia, intercedió en oración ante el Señor, por cuidado y protección. Dios obró de una manera sorprendente. Todos los vecinos perdieron su cosecha, pero en medio de todo ese desastre, el sembrado de mis abuelos estaba intacto. Solamente en los extremos que lindaba con los vecinos, el trigo estaba un poco dañado. Los vecinos no lo podían creer. Decían: "tienen un Dios aparte", y ellos respondían: "efectivamente tenemos al Dios verdadero".

El Dios que hizo el mundo, puede dominar la naturaleza cuando ve la necesidad de hacerlo para no perjudicar a sus fieles **mayordomos.** Mi padre no olvidó nunca esta experiencia tan viva del cuidado de Dios por sus hijos y quiso que nosotros la conociésemos.[1]

3.- El hombre creado descuida su mayordomía.

Una prueba evidente de la mala **mayordomía** del ser humano, es notar que los ríos que trasportaban aguas cristalinas, hoy están totalmente contaminados. Donde antes podíamos beber el agua y gozar de un buen baño, hoy está prohibido. En las ciudades donde antes respirábamos aire sano y podíamos ver el cielo azul, hoy tenemos el smog que oscurece el cielo y hace irrespirable el aire.

Cuando uno está llegando o saliendo de la ciudad de México por avión, puede ver cómo una especie de hongo cubre el cielo de la ciudad, impidiendo a veces que el sol pueda proyectarse sobre la ciudad. Pero México no es la excepción, hoy casi todas las grandes ciudades del mundo tienen el mismo problema y lo peor es que se está agravando. El corte indiscriminado de grandes bosques está cambiando el clima en muchos lugares del mundo. Romanos 8:19-23.

Dios lo hizo pefecto, la mala **mayordomía** de los seres humanos lo ha arruinado. De esto también nos pedirá cuenta nuestro Dios creador.[1]

2.- LA MAYORDOMÍA Y EL PUEBLO DE DIOS.

"...Así dirás a los hijos de Israel..." Cuando Dios determina escoger a un pueblo para que sea ejemplo ante el mundo, elige al pueblo de Israel, la herencia de Abraham. Su deseo era que el mundo pudiera contemplar cómo vive y cómo recibe bendiciones de Dios un pueblo que está dispuesto a obedecer sus mandamientos y ordenanzas y tener un solo y único Dios. El Dios de la creación.

El nombre de Israel había sido puesto por iniciativa de Dios, quien deseaba que ese pueblo viviera en la abundancia y gozara de todas las bendiciones, para que los pueblos vecinos comprobaran cómo vive un pueblo que le sigue fielmente. Para ello exigía obediencia y respeto. Los diez mandamientos dados al pueblo por medio de Moisés, su caudillo, establecían con claridad la voluntad de Dios.

Para este pueblo la **mayordomía** era respetar la ecología, principio de la **mayordomía** en la creación y, el fiel cumplimiento de las leyes, mandamientos y ordenanzas, emanadas de la propia voluntad de Dios. De esta manera este pueblo era **mayordomo** de todo aquello que Dios le había dado y le daría. Pero, todo dependía de cómo ejerciera esa **mayordomía**.

Los éxitos y los fracasos fueron consecuencia de su comportamiento, no de la voluntad de Dios; la que de hecho era siempre de bendición en bendición. Si el pueblo progresaba era porque respetaba las leyes, si no progresaba, era porque había olvidado el principio básico de su **mayordomía**.

BOSQUEJO 2.1.
TÍTULO DEL MENSAJE:
Un pueblo elegido por Dios.
Pasaje bíblico: Éxodo 3:14-18 Éxodo 6:2-8

Introducción:

Dios quería formar un pueblo para ponerlo de ejemplo ante el mundo. Deseaba que todos vieran cómo vivía un pueblo que dependía del Dios verdadero. Frente a los pueblos paganos, llenos de pecados, Dios quería mostrar un pueblo ejemplar. Sus deseos fueron cumplidos en parte, ya que muchas veces el pueblo elegido no cumplió con los planes de Dios.

1.- Un pueblo bendecido.

a) Abraham, depositario de la herencia.

b) Jacob, convertido en Israel por voluntad de Dios. Ese cambio origina el nuevo nombre del pueblo elegido.

c) Privilegio digno de destacarse. Ser pueblo de Dios.

2.- Herederos de la promesa.

a) La promesa era herencia espiritual.

b) La promesa era también herencia territorial.

c) De esclavos a la libertad bajo el liderazgo de Moisés.

d) El pueblo comienza a tomar forma.

3.- Faltos de cordura desobedecieron a Dios.

a) La tentación por los ídolos.

b) No cumplieron su responsabilidad como **mayordomos.**

c) La reacción de Moisés. Dios tuvo que reprenderlos severamente.

Conclusión:

No es suficiente que Dios nos ame, aprecie y desee nuestro progreso. Es necesario que nosotros tengamos un comportamiento de acuerdo a su voluntad. Debemos ser fieles **mayordomos** de las responsabilidades que Él pone sobre nosotros, manteniendo celosamente el concepto de un Dios único y verdadero.

BOSQUEJO 2.2.
TÍTULO DEL MENSAJE:
El pueblo elegido y su mayordomía.
Pasaje bíblico: Deuteronomio 26:16-19
Deuteronomio 28:1-14; Josué 24:15-18

Introducción:

El pueblo elegido tenía como todos los pueblos la necesidad de ser fiel **mayordomo** de la ecología del mundo y las leyes de la creación. Ahora Dios, con sus mandamientos y ordenanzas le agrega la **mayordomía** de la ley. De la fidelidad que el pueblo dispusiera para el cumpliento de las disposiciones de Dios dependerían sus bendiciones.

1.- Mayordomos en transmitir la ley.

a)   De padres a hijos y a nietos.

b)   Escrita la ley en piedra y en sus corazones.

c)   Debían tener la ley ante la vista.

2.- Mayordomos en guardar la ley.

a)   Eran custodios de lo que Dios les había ordenado.

b)   Nada debía separarlos de las órdenes recibidas.

c)   No debían permitir que la influencia de los pueblos vecinos modificara el espíritu de la ley.

3.- Mayordomos en respetar la ley.

a)   Las bendiciones dependían de cómo ellos cumplieran la ley.

b)   Dios no perdonaría el incumplimiento de la ley.

c)   El respeto de la ley, garantizaba contar con el favor de Dios.

Conclusión:

Dios les había dado leyes para una perfecta manera de vivir. De la forma como ellos desempeñaran su **mayordomía** serían las bendiciones o los castigos a recibir. Cuidar la ecología y cuidar la ley eran dos responsabilidades que Dios les había dado. Nos queda como resultado positivo aprender que nosotros también debemos ser responsables de lo que Dios nos ha dado como **mayordomos,** para que de ese modo podamos contar con sus bendiciones.

BOSQUEJO 2.3.
TÍTULO DEL MENSAJE:
La mayordomía del pueblo elegido determina
su forma de vida.
Pasaje Bíblico : 1ª Crónicas 29:1-16; Daniel 1:1-20;
Deuteronomio 6:10-25

Introducción:

Las leyes dadas por Dios contribuyeron a la formación de un estilo de vida para el pueblo de Israel. Ese modelo de vida era de acuerdo a la voluntad de Dios y para que Dios pudiera mostrar al mundo cómo vivía un pueblo que le obedecía y respetaba. De allí la gran responsabilidad que el pueblo tenía ante Dios a través de su **mayordomía.**

1.- Una conducta ejemplar.

a)   Las leyes modelaban la conducta del pueblo.

b)   Las leyes educaban al pueblo.

c)   Las leyes le daban sabiduría.

2.- Un comportamiento ordenado.

a)   Las leyes ayudaban al pueblo a vivir ordenadamente.

b)   Las leyes regulaban el comportamiento del pueblo.

c)   Las leyes solucionaban los conflictos del pueblo.

3.- Un estilo de vida distinto.

a)   Las leyes distinguían al pueblo de Dios de los otros pueblos.

b)   Las leyes orientaban al pueblo a vivir de acuerdo a la voluntad de Dios.

c)   Las leyes hacían que el pueblo de Dios fuera un ejemplo vivo.

Conclusión:

La experiencia vivida por el pueblo de Israel debe servir como un ejemplo para nosotros. Debemos vivir dentro de las leyes de Dios, siendo ejemplos a los otros seres que viven sin Dios y sin esperanza. A través de una **Mayordomía Total** sometida al cumplimiento de la voluntad de Dios para con nuestras vidas, podremos alcanzar este ideal.

ILUSTRACIONES Y AYUDAS: Bosquejos 2.1. a 2.3.

1.- Elegido para ser precursor.

Dios tiene un orden trazado para el pueblo elegido y lo cumplirá si quien Dios elige para ese propósito se comporta fielmente. Si no es así, el elegido sufrirá, pero Dios de alguna manera llevará adelante su plan.

Un claro ejemplo lo tenemos en la persona de José, uno de los hijos de Jacob. Despreciado por sus hermanos, fue vendido y llevado a Egipto donde tuvo toda clase de pruebas, [algunas hasta difíciles de comprender], pero su fe le mantuvo firme y pudo superar las dificultades y triunfar. Llegó ser el segundo en el gobierno. Toda su trayectoria fue un plan trazado por Dios, José fue el elegido para que su familia pudiera entrar más tarde en Egipto. Este es un fiel ejemplo de una **mayordomía** de la vida bien comprendida, aunque alguna vez José se haya preguntado ¿por qué?[1]

2.- Elegido para ser libertador y guía espiritual.

Un segundo caso lo observamos con Moisés. Su vida desde el comienzo fue preservada por Dios de una manera que pareciera una historia inventada por los hombres y no una realidad. Pero el propósito de Dios fue cumplido y Moisés llegó a ser el caudillo indiscutido de su pueblo sacándolo de la esclavitud de Egipto y llevándole por 40 años en una travesía interminable hasta llegar a las puertas de la tierra prometida. Durante todas las penurias de esta epopeya del pueblo elegido fue manifiesta la sensibilidad de Moisés comportándose como un fiel **mayordomo** y tratando de cumplir con todas las instrucciones de su Dios.[1]

3.- Un pueblo elegido que falla en la mayordomía.

Distinta fue la actitud del pueblo elegido. No siempre supo valorar la especial circunstancia de ser un pueblo privilegiado por Dios. Muchas veces olvidó los consejos de Moisés y el cumplimiento de las leyes que Dios les había dado a través de él. En lo que fue una mala **mayordomía**, el pueblo tuvo que soportar el castigo divino.

Sin embargo cuando su comportamiento fue fiel a una **mayordomía** adecuada, Dios le prosperó y le mostró cuál era su verdadera voluntad para con ellos. Esto es un fiel reflejo de lo que puede pasarnos a nosotros —pueblo elegido también por el Señor— si no cumplimos adecuadamente con su voluntad.

De las páginas de la historia del pueblo de Israel podemos obtener sabias y provechosas enseñanzas para nuestros días. No dejemos pasar de lado el comportamiento de Dios para con su pueblo, pues nos puede ocurrir lo mismo a nosotros.[1]

3.- LA MAYORDOMÍA Y LA LEY DE DIOS.

"...Éstos, pues, son los mandamientos estatutos y decretos..." La ley contenía principios morales y espirituales que debían ser respetados. Esa forma de vida establecida por Dios al pueblo de Israel le determinaba su organización social. Todo estaba perfectamente establecido y calculado para que el funcionamiento del pueblo y su gobierno fueran correctos. También estaba incluido en ello el culto de alabanza y adoración a Dios. Nada escapaba de la consideración de Dios en las leyes. Eran principios divinos que permitían a un pueblo vivir con justicia, misericordia, respeto y prosperidad.

Dentro de las leyes estaba la ley del diezmo por cuyo intermedio Dios proveía lo necesario para el sostenimiento del culto que el pueblo debía brindarle. Quizás en algunas leyes Dios aceptó algunas fallas del pueblo, pero en cuanto al diezmo nunca. ¡Era sagrado! y por lo tanto intocable.

Es por esa razón que el pueblo de Israel debió agregar a sus procederes como **mayordomos** de la ecología, las leyes de la creación y las leyes de Dios, a una ley especial. **La ley del diezmo.** La severidad de Dios para castigar la desobediencia a esta ley fue tremenda. No perdonó jamás su incumplimiento. No aceptó en ninguna circunstancia que el pueblo le robara a través de una **mayordomía** insensata.

BOSQUEJO 3.1.
TÍTULO DEL MENSAJE:
Principios morales y espirituales de la Ley.
Pasaje Bíblico: Éxodo 20:1-17

Introducción:

La ley de Dios para el pueblo de Israel se caracterizó por los principios morales y espirituales. No sólo le determinó una forma de vida al pueblo sino que le acercó a Dios y le mostró la forma cómo debía respetarlo y adorarlo. Además estableció formas de culto para elevar su vida espiritual. De la manera como el pueblo cumpliera con su **mayordomía** sería la medida de su crecimiento en los aspectos morales y espirituales.

1.- La ley de Dios destacó los valores morales.
a)   La ley se distinguió por la defensa de los valores morales.
b)   La ley exaltó lo bueno y condenó lo malo.
c)   La ley y sus principios ayudó a la vida ordenada del pueblo.

2.- La ley de Dios dio importancia a los valores espirituales.
a)   La espiritualidad del pueblo fue fortalecida por la ley.
b)   El culto establecido por la ley revivió la espiritualidad del pueblo.
c)   Dios era el centro de toda actividad espiritual.

3.- La ley de Dios privilegió el valor del ser humano.
a)   Dios a través de la ley respetó al ser humano.
b)   Dios por medio de la ley destacó el respeto al prójimo.
c)   Dios por la ley respetó a la familia.

Conclusión:

Dios no sólo eligió a un pueblo, sino que quiso formarlo de acuerdo a su voluntad. Por ello la ley sirvió como medio para darle forma a una manera de vivir. Fue necesaria la **mayordomía** del pueblo en la administración de los mandamientos y ordenanzas para que eso fuera una realidad. Dios desea lo mismo para nosotros, ahora "su pueblo", por lo tanto de acuerdo a como seamos **mayordomos** de la voluntad de Dios cumpliremos con su cometido. Vivir distintivamente como cristianos. Todo un desafío para nuestra hora.

BOSQUEJO 3.2.

TÍTULO DEL MENSAJE:

Razones que Dios tuvo para instituir el diezmo.

Pasaje Bíblico: Nehemías 10:35-39; Génesis 14:17-20;

Génesis 28:20-22

Introducción:

Este es un tema sobre el cual se ha discutido mucho y siempre surgen opiniones favorables o posiciones encontradas sobre el particular. Nada mejor para dilucidarlo que utilizar la Palabra de Dios, especialmente estudiando los motivos por los cuales Dios estableció el diezmo. El diezmo no fue creación de la ley, sino que ya antiguamente se lo practicaba. En la Biblia notamos su primera mención en el tiempo de Abraham y luego de Jacob. Dios lo introduce en la ley con fundadas razones.

1.- La distribución de la tierra prometida.

a) Las 11 tribus recibieron su parte en la tierra prometida.

b) La tribu de los Levitas fue reservada para el sacerdocio.

c) El templo y los Levitas no tenían recursos propios.

2.- Dios establece el diezmo como solución.

a) 1.-Reconocimiento al Dios único y proveedor - Él era quien proveía.

b) 2.-Sustento para el templo y los Levitas. Dios provee ayuda por medio de las 11 tribus.

c) 3.-Igualdad para todos. Todos daban 10% de lo recibido.

d) 4.-El diezmo era enviado por Dios a través de las 11 tribus.

3.- Procedimiento bien pensado.

a) Una correcta disposición. El pueblo debía entender que el que proveía era Dios.

b) Podría haber usado otro sistema. Por ejemplo 9% a los levitas y 1% al templo.

c) Dios provee para el templo y los Levitas a través de un procedimiento adecuado.

d) El procedimiento fue creado por Dios, no por los hombres.

4.- El diezmo no es ofrenda.

a) Si Dios era quien enviaba el diezmo, el pueblo era sólo el **mayordomo.**

b) Cuando entregaban el diezmo no estaban ofrendando, eran sólo **mayordomos.** Es ofrenda lo que damos de nuestra parte. (Del 90%).

c) El sistema funcionó mientras fueron fieles **mayordomos.**

d) Dios prosperó al pueblo cuando fueron fieles **mayordomos.**

Conclusión:

Dios muestra por medio de esta forma de obrar que el que sostiene el templo y a los Levitas es Él y no las 11 tribus. Ese 10% es el dinero que Él envía por medio de las 11 tribus, sus **mayordomos,** para que pueda funcionar su culto y sean sostenidos los siervos y las familias de los levitas involucrados en la atención del sacerdocio. En nuestras iglesias se da el mismo procedimiento. Cuando diezmamos, no estamos ofrendando, simplemente estamos dando la parte que Dios envía para su iglesia. Nuestra **mayordomía** es requerida para no usurpar un dinero que no es nuestro.

BOSQUEJO 3.3.
TÍTULO DEL MENSAJE:
Severos castigos de parte de Dios a quien
dejara de cumplir la ley del diezmo.
Pasaje Bíblico: Levítico 27:30; Deuteronomio 8:19-20;
Deuteronomio 28:15-40

1.- Dios perdonó muchas faltas del pueblo.

a) Muchas veces se arrepintió de un castigo y perdonó al pueblo.

b) Fue comprensivo frente a algunos planteos de los líderes o los profetas del pueblo.

c). David logró el perdón, luego de su arrepentimiento.

2.- Dios nunca perdonó al pueblo el incumplimiento del diezmo.

a) En cuanto a la falta de cumplimiento del diezmo no hubo perdón.

b) Dios no permitió que nadie le robara lo dispuesto para el sostén de su culto.

c) Fue muy severo. Las bendiciones dependían de la correcta **mayordomía** del pueblo.

3.- Dios lo había prevenido, no había razón para quejarse.

a) Dios había hablado muy claro aun antes de llegar a la tierra prometida.

b) El castigo era severo y alcanzaba a toda la tierra.

c) El pueblo sería severamente castigado si se quedaba con la parte que le correspondía a Dios.

Conclusión:

El diezmo era "consagrado" a Jehová, cosa intocable, puesto aparte para un fin especial. El pueblo no tenía ningún derecho a retenerlo. Por eso el castigo de su incumplimiento fue severo. ¡No pueden tocar lo que es mío! dice Dios, y el que lo toca o lo niega recibe su castigo. Por eso el pueblo gozó de las más grandes bendiciones cuando fue fiel **mayordomo**;

en cambio fue ultrajado y disminuido por el enemigo cuando no lo fue. Hay aquí una gran lección para todos nosotros en estos días. No olvidemos lo vivido por el pueblo de Dios.

ILUSTRACIONES Y AYUDAS: Bosquejos 3.1. a 3.3.

1.- No olvidemos las bendiciones que recibimos de parte de Dios.

Siempre comento en mis conferencias sobre **mayordomía** aquella experiencia que leí hace mucho tiempo, acerca de un joven que tuvo el deseo de poner su negocio bajo la protección de Dios. Llamó al pastor de la iglesia para que tuviera un acto de dedicación y orara por la empresa. El joven había dispuesto dar el diezmo de las utilidades mensuales. El pastor oró y pidió a Dios una bendición especial para el esfuerzo de este joven. Como resultado de sus negocios, el primer mes su diezmo fue u$s 100.-

Transcurrió el tiempo, y un día este joven que ya era un señor adulto estaba firmando el cheque del diezmo para la iglesia y observó que la cantidad era muy importante. Reaccionó y dijo, no, no es posible que yo esté dando tanto dinero a la iglesia. Inmediatamente ordenó a su secretaria que llamara al ahora anciano pastor que había estado en la iniciación de sus operaciones comerciales.

El pastor llegó y el hombre le pidió que tratara de desahacer el compromiso asumido tiempo atrás, pues lo que ahora estaba dando a la iglesia era mucho dinero. El pastor le dijo que él no podía anularlo pues era un pacto entre el comerciante y Dios. Sin embargo le dijo, lo que sí puedo hacer es orar a Dios para que vuelva tu negocio a lo que era al principio, así tu diezmo será solamente u$s100.- como fue el primer mes. El hombre lo pensó un poco, se dio cuenta de lo que significaba y dijo: no pastor, déjelo nomás como está...

Muchas veces esto nos puede ocurrir a nosotros, vemos lo que tenemos que dar y no reparamos en lo mucho que Dios nos ha dado.[1]

2.- Demasiado pobre para diezmar.

En muchas oportunidades he oído decir a algunas personas, yo no puedo diezmar, pues no me alcanza el sueldo para llegar a fin de mes. En todos estos años he visto cómo aquellos que decidieron hacerlo experimentaron una gran sorpresa.

Estábamos una tarde en un *picnic* de la iglesia conversando sobre el tema de la **mayordomía.** Como los hermanos sabían de mis viajes por diversos países —enseñando y predicando sobre mayordomía— siempre me pedían que contara alguna experiencia. Yo con mucho gusto les complacía y les contaba mis experiencias; estábamos en eso, cuando una hermana que hacía poco que se había convertido me interrumpe y me dice: —hermano Broda, yo quiero dar mi testimonio. Yo nunca podía llegar a fin de mes con el sueldo, siempre me resultaba "corto"..., pero un día le escuché hablar del diezmo y me animé a probar. Yo no sé cómo, pero desde esa fecha yo llego a fin de mes sin problemas. Tengo menos que antes pues ahora doy el diezmo al Señor y sin embargo me alcanza para llegar sin problemas a fin de mes.

Esta es una realidad que he comprobado en mi vida y en todas partes. Por eso animo a los pastores que orienten a los hermanos y les ayuden a comprender esta verdad. Y... hermano Pastor, si todavía esto no es una realidad en tu vida, no demores, te estás perdiendo muchas bendiciones que Dios quiere darte pero que no puede hacerlo pues ve que no tienes la capacidad de creer que Él puede.[1]

3.- Dios nos prospera cuando somos fieles mayordomos.

Tuve emociones y experiencias muy gratas en mi vida como **mayordomo** del Señor. En mi país, Argentina, un señor había progresado mucho en su carrera como asesor económico y sus diezmos y ofrendas eran sumamente importantes. Comentando sobre esto, un joven me dijo: —qué gracia, si yo ganara como ese señor también haría ofrendas de ese tamaño.

Aproveché la oportunidad para dar un hermoso testimonio del diezmo. Le dije al joven: —Ese señor del que tú hablas, se convirtió al evangelio siendo adolescente, cuando asistía a una carpa que mi padre había levantado en una población del interior de la provincia de Santa Fe. Toda su familia era pobre, a tal extremo que ese joven asistía descalzo, sin medias ni zapatillas a las reuniones. Aún en su pobreza comenzó a diezmar, y como el evangelio abre la mente de las personas para comprender mejor la voluntad de Dios, no se conformó con su situación. En su afán de progreso se trasladó con su familia a una importante ciudad de la provincia, allí trabajando de día y estudiando de noche completó su carrera.

«Nunca dejó de diezmar y su progreso fue tremendo. Cuando se encontró con fuertes ganancias tampoco dejó de diezmar, al contrario, le agregó sus importantes ofrendas para la obra. Ese hombre no da mucho porque tiene mucho, ese hombre tiene mucho porque nunca dejó de dar el diezmo al Señor y Dios lo prosperó. Esa es la verdad y si tú esperas a tener para dar al Señor, estás perdido. Debes aprender a dar de lo que tienes para que Él pueda darte más. Esta es la prosperidad del evangelio, no es un milagro instantáneo ni una experiencia del momento, sino una constante y progresiva consecuencia del cambio de vida. Recuérdalo».[1]

4.- LA MAYORDOMÍA Y LOS REYES.

"...Constitúyenos un rey que nos juzgue..." Cuando Israel quiso organizarse como los pueblos de la tierra, abandonando en parte la primacía que Dios tenía sobre su forma de gobierno, Dios le anticipó las consecuencias que le sobrevendrían al querer abandonar su perfecto plan. Dejarían al Dios absoluto por un reinado compartido en la tierra. Tendrían que asumir impuestos y las personas estarían sometidas a la voluntad del rey de turno.

Pese a todas las observaciones de parte de Dios, el pueblo insistió en su voluntad. Desde ese momento el pueblo comenzó un camino de problemas. Si los reyes eran fieles a Dios, la situación no era tan problemática; pero cuando el orgullo y el deseo de poder se apoderaban de los reyes, el pueblo sufría tremendamente. El fácil contagio con los procederes religiosos de pueblos vecinos empeoró la situación.

Sin embargo Dios no dejó de reclamar la correcta **mayordomía** del pueblo sobre la ecología, las leyes generales, la ley del diezmo, y el culto a su persona como único y verdadero Dios. Como siempre las bendiciones o los castigos estuvieron en directa realación a como el pueblo cumpliera con su deber de fiel **mayordomo**.

BOSQUEJO 4.1.
TÍTULO DEL MENSAJE:
Los reyes agravaron la vida del pueblo elegido.
Pasaje Bíblico: 1ª Samuel 8:1-22

Introducción:

¡Quién pudiera imaginarlo! Un pueblo que tuvo el privilegio de ser el elegido de Dios, con leyes mandamientos y ordenanzas para vivir en orden y felicidad, se dispone a abandonar ese privilegio y reclama el establecimiento de un reinado. Olvidan al Dios de todo poder para tener un rey a quien servir en la tierra. Errónea **mayordomía** en su forma de vida.

1.- Sometidos a un rey terrenal efímero.

a)   El ejemplo de los pueblos paganos les llevó a pedir un rey.

b)   Los reyes no eran eternos y su sucesión fue siempre un problema.

c)   Dios no recibió con agrado esta decisión y anticipó problemas.

2.- Sometidos a disposiciones económicas del rey.

a)   El rey provocaría gastos y demandaría nuevas cargas económicas.

b)   Algunos reyes fueron insaciables en sus demandas.

c)   ¡Se quejaban por el diezmo! Ahora debían pagar cargas mucho más onerosas.

3.- Sometidos a la voluntad del rey.

a)   No sólo había problemas económicos, sino que debían dar sus hijos para el servicio del rey o para la guerra.

b)   El pueblo perdió la libertad que Dios le había dado.

c)   En algunos casos los reyes fueron un castigo para el pueblo.

Conclusión:

Tremendo error. Una **mayordomía** mal entendida les llevó a sometimientos duros y difíciles para el pueblo. Muy pocos reyes reconocieron la ley de Dios. Ignoraron inclusive a los profetas que Dios enviaba. Esta es una advertencia para que nosotros aprendamos la lección y seamos prudentes **mayordomos** respetando a Dios y adorándolo como único y verdadero. Cuando compartimos a Dios con intereses de este mundo siempre fracasamos.

BOSQUEJO 4.2.
TÍTULO DEL MENSAJE:
Por los reyes que fallaron en su mayordomía,
el pueblo elegido tuvo que sufrir.
Pasaje Bíblico: Salmo 137:1-9; Isaías 48:18-19;
Jeremías 7:24-28

Introducción:

El orgullo de ser el pueblo elegido de Dios se derrumbó cuando reyes de Israel se alejaron del verdadero Dios. La vanagloria y el afán de poder hizo que muchos reyes vivieran fuera del control del verdadero Dios. Muy pocos reyes lograron mantener al pueblo cerca de Dios. Entre los que mejor se comportaron podemos señalar a David y Salomón, quienes siendo fieles a Dios lograron para el pueblo un tiempo de prosperidad y bendición.

**1.- Algunos reyes olvidaron el origen del pueblo
que gobernaban.**

a) Aplicaron leyes y obligaciones que no eran las correctas.

b) No tuvieron en cuenta el ordenamiento que Dios había dado por medio de la ley.

c) Pusieron en práctica sistemas contrarios al verdadero propósito de Dios.

2.- Algunos reyes ignoraron al Dios único y verdadero.

a) No tuvieron en cuenta al Dios que los había elegido como pueblo.

b) Menospreciaron a los profetas enviados por Dios.

c) Consultaron a profetas falsos, agoreros y adivinos de turno.

**3.-Algunos reyes fueron usados por los enemigos
del pueblo de Dios.**

a) Perdieron su dignidad sometiéndose a reyes de otros pueblos. Fueron usados por otros reyes paganos quienes se aprovecharon luego de sus pertenencias.

b)   Desviaron a los reyes haciéndoles adorar a dioses paganos.

c)   Saquearon los tesoros sagrados del templo.

Conclusión:

Cuando los gobiernos pierden la línea de conducta señalada por la palabra de Dios, siempre se producen situaciones de corrupción y olvido del verdadero Dios. El ejemplo de los reyes del pueblo de Israel que vivieron lejos de Jehová nos muestra una **mayordomía** frustrante y lastimosa. Esto debe llevarnos a la reflexión de que nosotros debemos cuidar nuestra **mayordomía** para no caer en situaciones que nos perjudiquen.

BOSQUEJO 4.3.
TÍTULO DEL MENSAJE:
El elevado precio de no ser fieles mayordomos
de la ley de Dios.
Pasaje Bíblico: Jeremías 9:12-22; Jeremías 11:1-17.

Introducción:

La tragedia de ser llevados cautivos, de ver a su templo saqueado y destruido; las ciudades destrozadas y su pueblo amancillado y humillado, nos causan tremenda tristeza. ¿Dónde está la gloria que tuvo el pueblo de Israel en el tiempo del reinado de David y Salomón? Resulta incomprensible. Despreciaron las grandes bendiciones que Dios hubiera enviado sobre ellos con sólo haber sido fieles **mayordomos** en la administración de las ordenanzas y mandamientos establecidos en la ley de Jehová.

1.- Perdieron bendiciones por desobedecer la ley.

a)   Dios se lo había advertido, no era una novedad.

b)   El castigo fue mayor cuando adoraron otros dioses.

c)   La idolatría reemplazó a la adoración del Dios verdadero.

2.- Dejaron de ser el pueblo "ejemplo" para el mundo.

a)   Dios quitó su protección.

b) El comportamiento del pueblo ya no fue el de un pueblo elegido.

c) Fueron ridiculizados frente al enemigo.

3.- Tuvieron que dejar su tierra y fueron llevados en cautiverio.

a) La terrible humillación de ser cautivos.

b) La horrenda vida en cautiverio.

c) Lloraron la gloria perdida y su Jerusalén tan querida.

Conclusión:

La confianza en los hombres de la tierra, el haber ignorado al Dios que los había elegido, el rechazo a los profetas enviados por Dios, el querer salir a combatir desoyendo la voluntad de Dios, confiando en las propias fuerzas de sus ejércitos, les llevó a la destrucción. ¡Qué **mayordomía** mal practicada! ¡Qué error en la administración de las leyes y mandamientos de Dios! No les podía esperar otra cosa. Cuánta advertencia para nuestros días, para que las palabras de los hombres de este mundo no nos alejen de las palabras del verdadero y único Dios.

ILUSTRACIONES Y AYUDAS: Bosquejos 4.1. a 4.3.

1.- ¡Cuidado con los reyes y dioses del mundo!

Es fácil criticar hoy al pueblo de Israel por sus fallas. Siempre pensamos ¿pero cómo pudo ser? ¡Cómo no entendieron la voluntad de Dios! Nos parece que nosotros en su lugar hubiésemos obrado de otra forma, más fieles a Dios.

Sin embargo debemos reconocer que estamos llegando al final del siglo XX y la iglesia cristiana presenta síntomas muy similares al pueblo de Israel cuando pidieron a un rey.

Las envidias, los celos, la falta de unidad, la inercia de la iglesia están tardando la realización del plan de evangelización que Dios anhela. Siempre hay alguien que aparece con una novedad para distraer a la iglesia de su verdadero propósito.

Al igual que el pueblo de Isreal y sus reyes, la iglesia de hoy está coquetendo con el mundo, permitiendo que éste ingrese más y más en la iglesia. Así como Israel añoraba a los dioses de los pueblos vecinos, nosotros estamos añorando muchos dioses del mundo actual (materialismo, riquezas, ansias de poder) sin darnos cuenta que eso nos aleja de Dios, tal cual el pueblo de Israel se alejó de Dios.

Esto es consecuencia de una equivocada **mayordomía** de la vida del creyente y debemos reaccionar a tiempo antes que sea demasiado tarde. Estamos pensando en hacer aquellas cosas que atraigan a las personas a nuestras iglesias, sin consultar antes si esas cosas están dentro de la voluntad de Dios. Puede ser que al pueblo le guste, como le gustaban los reyes al pueblo de Israel, pero no era lo que Dios quería. Por favor, no nos equivoquemos.[1]

2.- No olvidemos al Dios que nos rescató.

Entre las experiencias tristes que me ha tocado vivir están la de aquellos seres que fueron rescatados de los vicios por el poder del evangelio. Algunos de ellos borrachos, otros jugadores de dinero, otros drogadictos. El cambio de mente cuando conocen al Señor les ha permitido mejorar sus hogares, sus posiciones sociales, etc. Hoy algunos de sus hijos que han llegado a progresar y alcanzar posiciones importantes, reniegan del evangelio y no tienen interés de volver a la iglesia donde sus padres conocieron el evangelio salvador. "¡No! yo con esa gente no me junto..."

A veces he tenido la tentación de decirles, si no hubiera sido por el evangelio, ¿hijo de quién serías tú?, ¿habrías podido llegar a donde llegastes si no fuera porque el evangelio cambió a tu padre o a tu abuelo?

Esta es otra manera como comenzamos a querer los dioses ajenos, dejando de lado al verdadero Dios, por gracia de quién nuestros padres o abuelos llegaron a conocer una vida mejor. Cuidado, esto es muy grave. "...*amaron más las tinieblas que la luz*..." Juan 3: 19b.[1]

3.- Los errores de la sociedad.

Mi padre solía contar en sus sermones una ilustración que se grabó en mi mente de adolescente. Hablaba de los errores de la sociedad. Los hombres cegados por las luces atractivas del mundo que los rodea, van como encandilados hacia las luces, igual que los insectos, sin darse cuenta que entre el lugar donde ellos están y las luces hay un gran precipicio. Enceguecidos caen en el fondo del precipicio, hiriéndose gravemente. La sociedad enceguecida también como ellos, en vez de levantar una pared antes de llegar al precipicio para evitar que la gente caiga en él, levanta hospitales y sanatorios para atender a los heridos en lo profundo del precipicio.

Hoy ocurre lo mismo, lejos de combatir los vicios, los han desarrollado mucho más, pero por ello necesitan cada día más hospitales y sanatorios. No quieren eliminar el pecado, sólo buscan atender a los heridos del mal.

Cuando miramos al mundo en vez de mirar a Cristo, estamos como cristianos yendo sin darnos cuenta al precipicio. En lugar de mayor testimonio del evangelio necesitamos más acción comunitaria para paliar el mal. Estamos cometiendo el mismo error de la sociedad. El mundo necesita del poder del evangelio que curará todas las cosas, lo demás viene como consecuencia de la conversión de las personas.

Tenemos a un Dios de todo poder, pero como Israel seguimos mirando a los reyes vecinos y los anhelamos. No confundamos nuestra responsabilidad como **fieles mayordomos.**[1]

5.- LA MAYORDOMÍA Y LOS PROFETAS

"...Heme aquí, envíame a mí..." Los verdaderos profetas levantados por Dios en distintos tiempos del pueblo de Israel, tuvieron algo muy en común: lograr que el pueblo fuese un correcto **mayordomo** de lo que Dios les había dado y respetuoso **mayordomo** de sus leyes, mandamientos y ordenanzas. Proclamaban también la necesidad de una vida de acuerdo a la voluntad de Dios, en perfecta convivencia con cada uno de los integrantes del pueblo.

No siempre el pueblo se desempeñó correctamente. Muchas veces los profetas se vieron en dificultades. Agoreros, adivinos y falsos profetas complacientes con el rey de turno trataron de torcer la voluntad de Dios aceptando distintas formas de proceder contrariando de ese modo las órdenes dadas por Dios.

Esto jamás fue aceptado por Dios y el pueblo se vio castigado muchas veces por culpa de falsos guías, complacientes y dispuestos a aceptar prebendas de reyes y funcionarios que traicionaron la ley de Dios. Al fracasar en su **mayordomía** tuvieron que soportar la ira de Dios.

BOSQUEJO 5.1.
TÍTULO DEL MENSAJE:
Dios usa a los verdaderos profetas para lograr que el pueblo elegido cumpla con su mayordomía.
Pasaje Bíblico: Isaías 1:10-20

Introducción:

Los verdaderos profetas fueron fieles intérpretes de la voluntad de Dios y frente a la desviación del pueblo salieron a las plazas y las calles a predicar un cambio de vida. No podían tolerar el olvido de Dios. No podían aceptar ofrendas carentes del verdadero sentido que Dios les había dado. Fueron adalides de la verdad.

1.- El pueblo atraído y confundido va detrás de cosas vanas.

a) El pueblo lejos de la voluntad de Dios.

b) Contagiado por la idolatría de los pueblos vecinos ignora a Dios.

c) Buscan conformar los dos frentes: Dios y los dioses.

2.- El profeta de Dios advierte al pueblo de su error.

a) No se confundan. Dios ve la realidad.

b) No son la cantidad de ofrendas las que agradan a Dios, sino el espíritu del ofrendante.

c) Dios no se enceguese por el brillar del oro. Quiere también el corazón de su pueblo.

3.- El profeta les muestra el camino del retorno.

a) Dejen los malos caminos. Abandonen el pecado. Adoren al único Dios.

b) Vivan una **mayordomía** de acuerdo a la ley de Dios.

c) Entonces sí la ofrendas agradarán a Dios, pues serán sin pecado.

Conclusión:

No se puede agradar a Dios y a los dioses. Esto lo rechaza la ley y Jesús lo confirmó. Se requiere una vida regida por una **mayordomía** efectiva. Al igual que los verdaderos profetas, nosotros debemos levantar la voz y advertir al pueblo acerca de la forma cómo Dios quiere que sean nuestras ofrendas: siempre acompañadas de una norma de vida de acuerdo a la voluntad de Dios.

BOSQUEJO 5.2.
TÍTULO DEL MENSAJE:
El pueblo siguiendo falsos profetas
reniega de su mayordomía.
Pasaje Bíblico: 1ª Reyes 18:20-46

Introducción:

La idolatría había provocado en el pueblo serias desviaciones. Permitida por los reyes que administraron sin la dirección de Dios, se levantaron cientos de falsos profetas que no sólo profetizaban erróneamente al pueblo, sino que también desviaban a los reyes de su verdadero camino. El castigo de Dios es evidente. Aún siendo perseguido, el profeta logra demostrar al pueblo y al rey de turno quién era el verdadero Dios.

1.- Una reina perversa.

a)   Confundida ella, arrastra a todo un pueblo hacia la idolatría.

b)   Dios no lo puede tolerar. Castiga al pueblo y ordena al profeta que actúe.

c)   El pueblo, en vez de cambiar de actitud pretende matar al verdadero profeta.

2.- Un pueblo confundido.

a)   Gobierno y pueblo hacen un mal manejo de la **mayordomía** reclamada por Dios.

b)   La desobediencia cierra las ventanas de los cielos. El pueblo no recibe bendiciones.

c)   450 profetas falsos siguen confundiendo al pueblo.

3.- Un pueblo lejos de Dios.

a)   Falsos dioses reemplazan al verdadero Dios.

b)   Fracasos y desgracias por doquier.

c)   En medio del drama Dios cuida a su siervo.

d) El profeta verdadero demuestra al pueblo el poder de Dios.

Conclusión:

Resulta irónico que un sólo profeta, leal a Dios, pueda derrotar a 450 falsos profetas. El profeta destruye toda la idolatría demostrando el poder de Dios. El pueblo arrepentido se da cuenta que fue un mal **mayordomo** olvidando al Dios verdadero. Cuando vamos tomados de la Palabra de Dios y obramos como Dios nos ordena, no hay obstáculo que nos pueda detener; por más numeroso que sea nuestro oponente.

BOSQUEJO 5.3.
TÍTULO DEL MENSAJE:
Los verdaderos profetas fueron fieles
a la mayordomía de la ley.
Pasaje Bíblico: Joel 2:12-32; Amós 5:14-15

Introducción:

Si algo ha distinguido a los verdaderos profetas es su lealtad al cumplimiento de la ley. Fueron **mayordomos** ejemplares y exigieron a sus connacionales una forma de vida que diera cuenta de una real **mayordomía.** Enfrentaron a todas las autoridades y las desafiaron en el nombre del verdadero Dios.

1.- Denunciaron a los gobiernos su pecado.

a) No tuvieron temor de las represalias.
b) Predicaron la verdad sin limitaciones.
c) Dios les guardó en todo momento.

2.- Denunciaron al pueblo su falta de lealtad a Dios.

a) Denunciaron los pecados del pueblo.
b) Anunciaron con lealtad los castigos que sobrevendrían al pueblo.
c) Demandaron siempre el arrepentimiento del pueblo.

3.- Exaltaron las obras del Dios de Israel.

a) Recordaron al pueblo los tiempos de bendiciones.

b) Les hicieron añorar los años de triunfo.

c) Les recordaron que si el pueblo volvía arrepentido, Dios sería amplio en perdonar.

Conclusión:

Debemos imitar la valentía de estos profetas de Dios. La **mayordomía** nos reclama fidelidad a la palabra de Dios. Debemos denunciar el pecado, debemos advertir al pecador, debemos recordarle el perdón que Dios ofrece. No debemos engañarle. Seamos fieles a la voluntad de nuestro Dios.

ILUSTRACIONES Y AYUDAS: Bosquejos 5.1. al 5.3.

1.- Cuánto daña un falso profeta a la vida espiritual y moral de un pueblo.

Cuando uno lee la vida de los profetas en el Antiguo Testamento y su participación en la educación del pueblo de Israel, observa cuán importante fue su contribución para el perfecto conocimiento de la voluntad de Dios. El pueblo se sintió apoyado en su vida espiritual y moral. Pero cuando aparecieron falsos profetas, que se atribuyeron el derecho de querer interpretar erróneamente la voluntad de Dios, el pueblo cayó y perdió rápidamente sus valores.

Falsos profetas, que inclusive fueron sobornados por los reyes de turno, buscando ver complacidos sus deseos de poder. La corrupción caracterizada buscando supuestamente apoyo de parte de Dios para justificar sus anormalidades. Dios repudió siempre este proceder.

Cuando volvemos al final del siglo XX observamos cómo estas costumbres siguen dominando los intereses de muchos falsos profetas aliados de gobiernos corruptos que no reparan en sobornar la justicia, sino que también desean sobornar a los "profetas" para poder acallar sus conciencias ávidas de poder y gloria terrenal.

La iglesia debe estar atenta a descubrir a los "falsos" profetas de turno, para no caer en irregularidades delante del Señor. A su vez debe demandar sabiduría de lo alto para detectar al profeta correcto que nos acerque a Dios. Necesitamos seres que se comporten como **fieles mayordomos** del Señor.[1]

2.- Una mujer que reconoció al verdadero profeta.

El episodio de la historia de la mujer de Sarepta, relatado en el libro de 1ª Reyes 17:8-24 está lleno de sabias y provechosas enseñanzas:

a) La mujer demostró fe en Dios cuando aceptó darle comida al profeta sabiendo que no habría comida para ella y su hijo. Ella y el hijo podían morir de hambre.

b) El profeta responde a la fe de la mujer proveyendo la harina y aceite necesarios para cada día. La mujer y su hijo se salvan de morir.

c) De esta manera Dios utiliza a una mujer **fiel mayordomo** para que su profeta fuera preservado.

d) Aparentemente el hijo estaba condenado a morir, sin embargo la mujer recibe doble premio, pues su hijo es devuelto a la vida por el profeta.

Este relato me ha llevado muchas veces a reflexionar y pensar:

a) Esta mujer estaba en el derecho de rechazar el pedido del profeta. Ella debía alimentar a su hijo, era su deber de madre. Nadie discutiría este derecho. Dios podría alimentar a su profeta de cualquier otra forma.

b) Nosotros muchas veces somos requeridos para dar una ayuda especial a la iglesia o a la obra misionera, pero anteponemos los derechos que tenemos sobre algunos compromisos nuestros y decimos, no.

c) Si la mujer hubiera dicho no, nadie le podría reprochar nada. Ella hubiera juntado la leña, cocido su última tortilla y ella y el hijo estarían sentenciados a morir.

d) Pero, por hacerlo de otro modo y privilegiar las necesidades de Dios por sobre las suyas, subsistieron ella y su hijo.

e) ¿No será que cuando nosotros decimos, no, a una ayuda especial, con todo derecho por los compromisos que tenemos, estamos cometiendo un error? Por ejemplo: debo pagar la cuota de la heladera, o debo pagar una cuota de un crédito, o debo comprarle ropa a mis niños, etc. etc. Lo hacemos y quedamos tranquilos, pero no nos damos cuenta que detrás de todo eso había una bendición extra de Dios que no llegará, pues no hemos confiado en él y hemos negado una colaboración para su obra.

f) La mujer tenía la muerte de su hijo y de ella sobre sus espaldas, pero sin embargo entendió que Dios demandaba ese poco de harina y aceite que tenía y lo entregó aun sabiendo que se sentenciaba su propia muerte.

g) Pero Dios premió a esa mujer y pudo sobrevivir. Y si sumamos la harina y el aceite que cada día el Señor le dio, le devolvió mucho, pero mucho más de lo que ella había entregado. Y además salvó la vida de su hijo y la suya propia. ¡Qué tremenda **mayordomía**!

¡Para pensarlo! ¿verdad?[1]

6.- LA MAYORDOMÍA Y
LA PROSPERIDAD DEL PUEBLO DE DIOS.

"...Las riquezas y la gloria proceden de ti..." Emociona leer y estudiar las Sagradas Escrituras y ver la forma en que Dios bendijo a su pueblo cuando fue un excelente **mayordomo** de lo que Dios les había proveído. Muchos reyes se comportaron adecuadamente y el pueblo recibió bendiciones en sobreabundancia. Sorprende ver la fidelidad de Dios hacia su pueblo cuando éste cumplía su **mayordomía**. Mucho más aún si sus reyes eran también respetuosos de esa **mayordomía**.

El tiempo de mayor progreso fue durante el reinado de David y de su hijo Salomón. Es soprendente la cantidad de bienes que el pueblo y los reyes disponían. Cuando uno piensa que habían llegado con lo "puesto" a la tierra prometida, puede observar qué grande es Dios para con aquellos que se comprometen a vivir en una permanante **mayordomía** reconociendo lo que es de Dios y lo que a ellos les pertenece.

Ningún pueblo de la tierra tuvo una manifestación tan grandiosa de la prosperidad divina. Reyes y reinas de los distintos lugares del mundo se preguntaron ¿qué tiene Israel para lograr tanto? Había una sola respuesta: tenían al único y verdadero Dios y le obedecían en una correcta **mayordomía**.

BOSQUEJO 6.1.
TÍTULO DEL MENSAJE:
La prosperidad viene de Dios.
Pasaje Bíblico: 1ª Crónicas 29:10-16

Introducción:

La historia del pueblo de Israel nos muestra con claridad la forma cómo Dios prospera. En el tiempo del reinado de

David, el pueblo alcanza su mayor prosperidad; fruto de las bendiciones dadas por Dios a un pueblo que en ese tiempo le es fiel en sus responsabilidades y está guiado por un Rey de acuerdo a la voluntad de Dios.

1.- Dios prospera a su pueblo.

a) Alcanzar la prosperidad no es atributo del pueblo.

b) Tampoco se trata de un golpe de suerte.

c) Dios es quien lo determina.

2.- La prosperidad no es un milagro instantáneo.

a) La prosperidad es un proceso en la vida del pueblo.

b) La forma de obrar del pueblo determina el grado de prosperidad dado por Dios.

c) El pueblo de Israel fue prosperado cuando obedeció a Dios.

3.- La prosperidad es para todo mayordomo fiel.

a) La correcta **mayordomía** es base para la prosperidad.

b) Dios prospera a todo creyente que le sea fiel.

c) La prosperidad del creyente es también para la prosperidad de la obra del Señor.

Conclusión:

La prosperidad de Dios es progresiva, se logra gradualmente. La experiencia de nuestra vida cristiana lo demuestra. Dios desea nuestra prosperidad y mucho más prosperados seremos cuando El ve que estamos dispuestos a colaborar en la obra de acuerdo a como somos prosperados.

BOSQUEJO 6.2.
TÍTULO DEL MENSAJE:
David y Salomón expresión máxima de prosperidad.
Pasaje Bíblico: 1ª Crónicas 29:1-9; 2º Crónicas 9:13-28

Introducción:

Pocos pueblos del mundo han podido contar con la bendición de reyes como David y Salomón. Ellos fueron un ejemplo de fidelidad a Dios lo que permitió que Dios los prosperara abundantemente y junto con ellos a su pueblo. Fueron fieles **mayordomos** de las responsabilidades que Dios les había dado.

1.- Reyes que estuvieron en la voluntad de Dios.
a) Dios ocupaba el primer lugar en sus vidas.
b) Obraban de acuerdo a la voluntad de Dios.
c) Dios era su guía y protector.

2.- Reyes que supieron ser fieles en la mayordomía de sus vidas.
a) Al estar sus vidas centradas en Dios todo su obrar era adecuado.
b) Tanto en la paz como en la guerra, Dios era consultado.
c) Fueron fieles **mayordomos** de sus vidas, las que pusieron al servicio de Dios y del pueblo.

3.- Reyes que dejaron un ejemplo de reconocimiento a la soberanía de Dios.
a) David reconociendo al Dios proveedor y sustentador.
b) David reconociendo que tanto él como su pueblo no eran nada.
c) David reconociendo que la prosperidad viene de Dios.
d) Salomón demandando sabiduría para servir mejor a Dios y a su pueblo.

Conclusión:

El ejemplo de estos importantes reyes debe motivarnos a someter nuestras vidas bajo la soberanía de Cristo. Sólo así estaremos seguros de ser fieles **mayordomos** de Dios y de lograr que nuestras vidas sean vividas con propósito gozando de la prosperidad que Dios sabe dar.

BOSQUEJO 6.3.
TÍTULO DEL MENSAJE:
La mayordomía es la llave que abre la puerta
de la prosperidad.
Pasaje Bíblico: 1ª Crónicas 17:1-27

Introducción:

¿Deseamos ser prosperados por el Señor? Sigamos el ejemplo que vemos en el pueblo de Israel y sus dirigentes. David es un típico caso de prosperidad dada por Dios.

1.- La prosperidad es para todos.
  a)   La prosperidad es para todo creyente.
  b)   La única condición que Dios establece para la prosperidad es obediencia.
  c)   Dios desea la prosperidad de todos.

2.- La prosperidad es propia del fiel mayordomo.
  a)   La prosperidad de los hombres puede ser dañina.
  b)   La prosperidad de Dios no añade aflicción.
  c)   Cuando hay fidelidad a Dios, hay prosperidad positiva.

3.- La verdadera prosperidad es atributo de Dios.
  a)   Prosperidad en todos los órdenes,no sólo económica.
  b)   Prosperidad para bien del creyente y de la obra.
  c)   Prosperidad que conlleva crecimiento espiritual.

Conclusión:

Logremos todos la prosperidad prometida por Dios, para ello seamos fieles **mayordomos** de nuestra vida. Ofrezcamos nuestra prosperidad para progreso de la obra del Señor. Sepamos utilizar la llave que abre las ventanas de los cielos.

ILUSTRACIONES Y AYUDAS: Bosquejos 6.1. al 6.3.

**1.- La prosperidad como medio para ayudar
la obra del Señor.**

Tengo un grato recuerdo para un querido hermano, hoy ya con el Señor, cuya vida fue un claro ejemplo de fiel mayordomo. Su padre fue un pastor pionero de la obra en Buenos Aires. Un día, finalizados los estudios comerciales, se dispuso iniciar una empresa en la que desde el comienzo puso a Dios como socio.

Comenzó modestamente, pero Dios le prosperó en forma tremenda, a los pocos años era la segunda empresa comercial en su rubro de trabajo en la populosa ciudad de Buenos Aires. Siempre tuvo un correcto desempeño en sus funciones.

La obra del Señor no sólo se benefició con sus diezmos, sino que sus ofrendas fueron muy importantes y muchas instituciones cristianas recibieron su generosa ayuda; también muchos hermanos en problemas económicos recibieron su apoyo.

Dios siempre ha querido bendecir al creyente, mucho más cuando ese creyente ha decidido ser un **fiel mayordomo**. No olvidemos que Dios asiste a su iglesia y está esperando que **mayordomos** generosos se ofrezcan para ser un canal por el cual los medios económicos lleguen a la iglesia. De la misma forma como aumentan nuestros dones y talentos, cuando los ponemos al servicio de su causa, también aumentará nuestros bienes si él está seguro de que serán dispuestos para su obra con generosidad.[1]

2.-La prosperidad no es sólo económica.

Cuando yo era líder juvenil en mi país, pude recorrer distintas iglesias en las provincias y he recogido muy lindas experiencias que quedaron grabadas en mi mente y las he utilizado como testimonio del poder de Dios. Más tarde Dios me daría la oportunidad de visitar no sólo mi país sino otros países del continente, de manera que el caudal de experiencias ha aumentado. Pero a la que quiero referirme ahora es a aquella experienca vivida en mi juventud.

En una de esas iglesias del interior habíamos tenido una reunión con los jóvenes el sábado por la noche y la próxima reunión juvenil sería en otra ciudad de la provincia en la tarde del domingo, de manera que el domingo a la mañana asistí a la escuela dominical y al culto en la iglesia donde había estado el sábado por la noche.

Asistí a una clase donde era maestro un típico hombre de campo (al estilo gaucho) el cual mostraba una preparación acorde con las circunstancias, pero que, por la experiencia mía de haber vivido mucho tiempo en el interior del país, se me hacía que debía haber sido una conversión interesante. Durante el almuerzo consulté al pastor sobre este hermano y él me relató la historia de este señor. Comenzó diciendo ¡es el mejor testimonio del evangelio que tenemos en esta ciudad! Yo pensé para mis adentros, no me equivocaba, algo grande del Señor había detrás de este hermano.

Había sido el bebedor más empedernido y pendenciero de la ciudad. Siempre en el lugar donde él asistía terminaba en una gresca descomunal. Lo habían encarcelado, castigado, pero siempre volvía a sus andanzas. Tres veces le habían "pedido que se fuera del pueblo", expresión similar a declararlo persona no grata. Pero nunca hizo caso. Tal era el odio que se le tenía que un día fue herido de bala y lo dejaron a la orilla del camino para que se muriera. Su madre lo recogió y lo llevó al médico y lo operaron y se sanó. Todos esperaban que esta situación le hiciera cambiar de actitud, pero no hubo caso, siguió igual.

Un día llegan los evangélicos y levantan una carpa en la ciudad. Curioso, como era por costumbre, asiste a las reuniones. Las personas que lo vieron llegar dijeron ¡Zaz! Esta noche "quema" la carpa. Sin embargo no pasó nada, se retiró en silencio y al día siguiente volvió con toda su familia. Así lo hizo toda la semana. Al concluir la serie de reuniones el pastor pidió a los presentes que quienes quisieran aceptar al Señor Jesús como su salvador y cambiar sus vidas, se pusieran de pie. Como si tuviera un resorte este hombre se levantó e instaba a que toda su familia se pusiera de pie.

Cuenta la esposa que esa noche en el viaje de regreso a la casa le dijo: María tirá la damajuana (envase de vidrio de 5 ó 10 litros de vino) al pozo. La esposa llegó a la casa y no se atrevió a tirar la damajuana, la puso detrás de la puerta de la cocina, pensando: "mañana cuando se levante y le haya pasado el efecto de esta noche la va a buscar y si no la encuentra me va a pegar". Al día siguiente al levantarse este hombre ve la damajuana y le dice a la señora: "¿No te dije que la tiraras al pozo?". Él mismo fue y la tiró. Desde ese día no bebió más. Cambió su condición de vida, espiritual y material, pues ya no gastaba en vicios. Se recuperó como hombre, como esposo y padre. Se bautizó, toda la ciudad quedó sorpendida por su cambio tan extraordinario.

Lo que la sociedad no pudo hacer, lo hizo el mensaje de poder del evangelio y ese hombre que era una piltrafa humana, ahora era recuperado para la sociedad, y con autoridad estaba impartiendo la Palabra de Dios en la clase de escuela dominical. Dios prospera en todos los sentidos y en cada uno de los aspectos de nuestra vida. Un hombre despreciado, es recuperado y ahora es un **fiel mayordomo**.[1]

7.- LA MAYORDOMÍA Y LA DECADENCIA DEL PUEBLO DE DIOS.

"...Pues vosotros me habéis robado..." Finaliza el A.T. dejándonos un sabor amargo. Todo el esplendor del pueblo de Dios desapareció y ahora están en plena pobreza. ¿Que pasó? ¿Se olvidó Dios de ellos? ¿Ya no eran su Pueblo? ¡NO! la razón era muy distinta a lo que el pueblo creía. Aun cuando algunos consideraban como una leyenda o "cuento" de los abuelos el bienestar anterior del pueblo, la verdad era que ellos habían dejado de ser fieles **mayordomos** de lo que Dios les había dado.

Abandonaron el culto a Dios, las ofrendas eran una calamidad, el diezmo era robado, había desgano en los servicios religiosos, en síntesis: una mala **mayordomía.**

Cuando Dios levanta un profeta para llamarles la atención, lo primero que les dice es que se han olvidado de la **mayordomía,** y como el olvido significa negarle a Dios lo que es de Él, no sólo eran **malos mayordomos**, sino que por la misma situación eran ¡ladrones! ¡Qué tremendo! ¡Qué contraste entre este pueblo y el pueblo en el reinado de David y Salomón! ¿Quién lo hubiera imaginado?

Pero Dios sigue siendo grande y maravilloso y aún frente a un pueblo que le ha ignorado y menospreciado, le ofrece la oportunidad de una recuperación. ¿En qué consistía? ¡En que volvieran a ser los **correctos mayordomos** que Él había ordenado!

BOSQUEJO 7.1.
TÍTULO DEL MENSAJE:
Dios es inflexible en su castigo.
Pasaje Bíblico: Malaquías 1:6-14

Introducción:

Qué contraste encontramos en el pueblo de Dios. De las riquezas del tiempo de David y Salomón, a las pobrezas del tiempo del profeta Malaquías. ¿Cómo pudo ser? ¿Qué sucedió? ¿Quién fue el culpable?

1.- Irresponsabilidad en la adoración.

a) Para el pueblo el culto había perdido interés.

b) Los sacerdotes faltaban a sus responsabilidades.

c) La ley era olvidada. Se pensaba que el progreso de antaño eran leyendas de los abuelos.

d) ¿Dónde está el Dios de Israel? ¡Nosotros estamos en la pobreza!

2.- Ofrendas que no agradan a Dios.

a) Las ofrendas no tenían sentido, el pueblo no respetaba la voluntad de Dios.

b) Eran ofrecidos animales enfermos, defectuosos. Era una falta de respeto a Dios.

c) Los sacerdotes eran censurados por recibir ofrendas en esas condiciones.

d) La Casa de Dios ya no tenía el "calor" de la adoración del pueblo.

3.- Castigo como consecuencia de la despreocupación.

a) Dios no podía tolerar tanto abandono y falta de respeto.

b) Les había anticipado que serían castigados severamente si lo hacían.

c) El castigo fue duro. Sin cosecha, sin pan, sin alegría por la vida.

Conclusión:

Al olvidar el pueblo las leyes de Dios viviendo una **mayordomía** desordenada, Dios olvidó sus promesas y ejecutó su castigo. No hay mayor pena que quitar de la vida la alegría por vivir. Esto debemos recordarlo, pues Dios no olvida su advertencia.

BOSQUEJO 7.2.
TÍTULO DEL MENSAJE:
Sin diezmo no hay bendiciones.
Pasaje Bíblico: Malaquías 3:6-10a.

Introducción:

El pueblo en el tiempo del profeta Malaquías no sólo abandona el interés por el culto a Dios, sino que también deja de cumplir con la ley del diezmo. Ello lo expone al castigo de parte de Dios. Castigo prometido por Dios en la advertencia cuando les fue comunicada la ley del diezmo.

1.- La ley del diezmo era "sagrada".

a)   Nadie podía violarla. Era cosa "consagrada", puesta aparte para Jehová. Era de Él.

b)   Las consecuencias de su violación se vieron de inmediato.

c)   Hambre, pobreza, decaimiento de la vida espiritual.

2.- Sólo una mala mayordomía te aleja de su cumplimiento.

a)   Dios no se había alejado de ellos, eran ellos que se habían alejado de Dios.

b)   No fue un alejamiento brusco, poco a poco fueron perdiendo interés por la vida espiritual.

c)   Al pasar de fieles **mayordomos** a malos **mayordomos** sobrevino el castigo divino.

3.- El diezmo y las primicias abren las ventanas de los cielos.

a)   ¡Ellos eran los culpables de su tragedia!

60

b)   ¡Dios no cambia! ¡Qué expresión maravillosa!

c)   Les ofrece el perdón si son capaces de llenar su Casa de "alimentos".

d)   ¡Dios detendría la langosta que devoraba todo y haría producir a la vid!

Conclusión:

¡Qué tremenda lección! ¡Cuánto hay para aprender de este acontecimiento en el pueblo de Israel! Cuántos creyentes desganados deberían verse en este espejo. ¿Cuántos reclamos por bendiciones que no llegan, estarán en esta misma situación? Cuidemos nuestra **mayordomía** para no caer en el mismo error.

BOSQUEJO 7.3.
TÍTULO DEL MENSAJE:
¡Probemos a Dios con el diezmo!
Pasaje Bíblico: Malaquías 3:10b-12

Introducción:

¿Hemos pensado que a Dios se le puede probar? Él está dispuesto a que lo hagamos. Hay muchos que lo han hecho y han comprobado la fidelidad de Dios. Israel es un vivo ejemplo.

1.- ¿Robará el hombre a Dios?

a)   ¿No es una pregunta absurda? ¿Cómo podríamos hacerlo?

b)   Sin embargo el profeta los acusa de ladrones.

c)   Cuando les da la razón del robo no hay excusas. ¡Eran ladrones!

2.- Enojo y violencia en el juicio de Dios.

a)   ¡El profeta usa expresiones terribles! ¡Malditos!

b)   Nadie estaba excluído. ¡Todos! pueblo y sacerdotes por igual. ¡Ladrones!

c)   ¡Por esta situación Dios los ha castigado duramente!

d)   ¡Las ventanas de los cielos están abarrotadas de bendiciones! ¡Aprendan a abrirlas!

3.- ¡Todo puede ser normal si se atreven a "probar" a Dios!

a)   ¡Probar a Dios! ¿No es un sacrilegio?

b)   No, dice Dios "pruébenme" ¡Qué tremendo desafío!

c)   El pueblo prueba a Dios y Dios responde con bendiciones.

d)   ¡Era tan sencillo y lo creían tan difícil! La respuesta era su **fiel mayordomía.**

Conclusión:

¡Qué triste situación la del pueblo de Israel en este tiempo del profeta Malaquías! ¡Qué contrastes con épocas anteriores! Ellos creían que Dios los había abandonado y en cambio eran ellos los que se habían alejado. ¡Dios estaba con las ventanas repletas de bendiciones y ellos padeciendo necesidad! El secreto estaba aquí en la tierra, era el uso adecuado de su **mayordomía.** Aprendamos la lección antes que Dios tenga que llamarnos la atención.

ILUSTRACIONES Y AYUDAS: Bosquejos 7.1. a 7.3.

1.- Dios no pide, Dios da.

Muchas veces nos encontramos con creyentes que tienen un concepto equivocado de lo que es cumplir con el diezmo y ofrendar. Les parece que Dios, por medio de la iglesia desea "sacarles" dinero. No es así, la situación es a la inversa. Dios quiere "darles" para que puedan "dar" más.

Lo que ocurre es que muchas veces en nuestras iglesias esto no se enseña o se enseña mal y entonces los creyentes tienen una apreciación errónea. Esa era la situación del pueblo de Israel en el tiempo de Malaquías. Eran pobres, vivían como pobres, les faltaba de todo, y resulta que tenían a un Dios rico. ¡Cómo se entiende! Es muy claro.

Dios quiere darte para que puedas dar, pero no lo puede hacer si no ve en ti una predisposición para hacerlo; entonces él no lo hace, pues ve más allá que nosotros y sabe que le vamos a fallar. Nosotros decimos, si me da le doy..., pero cuando llega nos olvidamos de la promesa.

Por eso Dios dice, da primero por fe y verás como yo te respondo. Esa expresión "haya alimento en mi casa" lo expresa todo. Significa que Dios espera mi cumplimiento por fe, luego él obrará.

Por eso el **probadme** de parte de Dios es significativo. Contiene fe, contiene seguridad, es una prueba con promesa asegurada: "Abriré las puestas de los cielos" y aun añade "enviaré bendición", no sólo la necesaria, sino "hasta que sobreabunde". ¿Necesitamos más? Dios quiere darte para que puedas dar, pero primero requiere que confíes en él.[1]

2.-La falta de una adecuada mayordomía disminuye nuestra fe.

El pueblo en el tiempo de Malaquías había perdido la fe. No tenía aprecio por el culto, nadie se ocupaba de la atención del templo, las ofrendas eran pocas y casi siempre con algún animal dañado o enfermo. "¡Total, si lo van a quemar, que más da que sea bueno o enfermo!" Había un desprecio por las cosas de Dios. Decían que la prosperidad que tuvo el pueblo en tiempo de David y Salomón eran leyendas de los abuelos... Nadie creía nada. Si fuera cierto que Dios existe no seríamos pobres...

Pero lo que no comprendía el pueblo es que eran pobres por propia voluntad de ellos. Al pretender quedarse con lo que era de Dios y para su templo, cayeron en la trampa del cierre de las ventanas de los cielos y las bendiciones dejaron de venir. Dios tenía que obrar contra su voluntad, pero no era culpa de Dios sino del pueblo.

Al dejar de ser **fieles mayordomos** fueron autocastigados. Esta lección debemos aprenderla y asimilarla para evitar que caigamos en la misma trampa. Actualmente veo a muchos creyentes y aun iglesias atrapadas en la misma forma como lo fue el pueblo en el tiempo de Malaquías.

El remedio es el mismo "haya alimento en mi casa", y **probadme**. ¡Es todo un desafío de Dios! No lo podemos despreciar. Sería suicida hacerlo. La obra necesita de mucho dinero para cumplir la gran comisión; ¡Dios lo tiene! pero está esperando de **fieles mayordomos** que lleven "alimento en abundancia a su casa"; para que él lo haga en la de ellos. Así de sencillo, no lo compliquemos.[1]

Nuevo Testamento
Mayordomía del
Nuevo Testamento

8.- LA MAYORDOMÍA, JESÚS, Y LA LEY.

"...No he venido para abrogar, sino para cumplir..." Una de las inquietudes encontradas en las iglesias durante la enseñanza de la **mayordomía** es la de si la Ley del Antiguo Testamento continúa en el Nuevo Testamento. Muchos creyentes mantienen la creencia de que la Ley "fue" para el pueblo de Dios, pero que ahora, luego de la venida del Mesías, la ley desaparece.

Lo curioso es que no se discuten muchos otros aspectos de la Ley, sino casi con insistencia en lo relativo al diezmo. Pareciera que se quieren encontrar argumentos para no cumplir con el diezmo, mientras que por otro lado se transportan al Nuevo Testamento muchos otros aspectos que se consideran normales. ¿Será nuestro egoísmo humano? ¿Será un principio de "avaricia" instalado en muchos de los creyentes? Lo que es cierto es que todo obedece a una falta de adecuada enseñanza de la **mayordomía.**

Jesús fue claro en sus manifestaciones, "no vine a abrogar la ley y los profetas, sino a cumplirla". En otros términos podríamos decir que vino a "humanizar" la ley. Jesús se ocupó de señalar qué cosas de la ley terminaban con su venida y qué cosas continuaban.

Corresponde entonces que como **buenos mayordomos** nos ocupemos de cumplir con toda las enseñanzas de Jesús.

BOSQUEJO 8.1.
TÍTULO DEL MENSAJE:
La ley, analizada por Jesús.
Pasaje Bíblico: Mateo 5:17-37

Introducción:

En muchas iglesias solemos encontrar todavía cierta resistencia al diezmo. Muchos de los que sostienen esa actitud piensan que el diezmo fue de la ley y que en la era de la gracia no corresponde. Debemos aclararles lo que en verdad Jesús enseñó.

1.- ¡Jesús vino a confirmar la ley!

a) La ley era para un pueblo elegido, Israel.

b) Jesús anunció que ahora los gentiles también serían su pueblo.

c) La ley entonces es válida para ambos.

d) Jesús realizó sólo ajustes a la ley.

2.- ¡Jesús vino a humanizar la ley!

a) Jesús vino a darle sentido humano a la ley.

b) Jesús corrigió los desvíos que habían efectuado a la ley los fariseos y escribas.

c) Jesús añadió nuevas ordenanzas a la ley.

3.- ¡Jesús vino a cumplir la ley!

a) Jesús fue cuidadoso con el cumplimiento de la ley.

b) La observó y buscó que los discípulos la cumplieran.

c) Su fidelidad al cumplimiento de la ley le llevó a la cruz.

d) En la cruz cumplió requisitos de la ley que facilitaron nuestra liberación del pecado.

Conclusión:

De la fidelidad de Jesús a los mandamientos de Dios debemos aprender. Él nos dio el ejemplo. En cuanto al diezmo lo confirma en Mateo 23:23. Si el diezmo debía abandonarse luego de su venida, hubiera hecho como con la pascua, presentando un nuevo pacto. No lo hizo porque en el Nuevo Testamento el diezmo es sólo una parte de lo que los primeros cristianos dispusieron para la extensión del evangelio. Su exigencia era mucho más. Era TODO. Hubiera sido ridículo hablar del diezmo a los primeros cristianos.

BOSQUEJO 8.2.
TÍTULO DEL MENSAJE:
Jesús censura a los fariseos su actitud.
Pasaje Bíblico: Mateo 23:23-36

Introducción:

En este pasaje Jesús menciona el diezmo. Hace una crítica acerca de la forma de obrar de los fariseos pero sostiene que el diezmo debía cumplirse. Es interesante ver su planteo y la forma como censuró a los fariseos.

1.- Blancos por fuera.

a) Jesús llamó a los fariseos "sepulcros blanqueados".
b) Una clásica manera de presentarse queriendo ocultar lo que hay adentro.
c) Todos usamos nuestra "máscara" para presentarnos.

2.- Fieles al diezmo, infieles a la justicia.

a) El diezmo era fácil de cumplir.
b) La justicia, la misericordia y la fe, para ellos no importaba.
c) Dios exige integridad en todos los órdenes de la vida, incluido el diezmo.

3.-Mayordomos por fuera y por dentro.

a) Jesús quería que así como les gustaba presentarse, fueran también por dentro.
b) Muchos aun hoy día suelen tener dos caras.
c) El **mayordomo** fiel debe ser íntegro por dentro y por fuera.

Conclusión:

Debemos aprender la lección que Jesús les dio a los fariseos. El diezmo solo no sirve. Lo demás sin el diezmo tampoco. Debemos ser **mayordomos** de los dones, talentos y bienes. Todo lo que somos, tenemos y sabemos debe ser administrado bajo la soberanía de Dios.

BOSQUEJO 8.3.
TÍTULO DEL MENSAJE:
El diezmo en las enseñanzas de Jesús.
Pasaje Bíblico: Lucas 18:9-14

Introducción:

Jesús comenta esta parábola para dar una nueva enseñanza acerca de nuestra actitud en relación al diezmo. Es interesante el análisis que realiza y debemos estudiarlo en profundidad.

1.- Todos somos iguales para Dios.

a)   No importa la condición social o económica.

b)   Los ricos y los pobres deben diezmar.

c)   Pero hay una actitud mínima que respetar.

2.- Cumplía la ley pero no bastaba.

a)   El fariseo era fiel cumplidor de la ley.

b)   A pesar de cumplir con la ley, otros recibían bendición antes que él.

c)   Su actitud orgullosa no era aceptada por Dios.

3.- Necesitaba la humildad del publicano

a)   Un sencillo publicano recibe antes la bendición.

b)   ¿Por qué? ¿Era malo diezmar o ayunar? No.

c)   Lo malo era la ostentación.

d)   Debemos diezmar, ayunar, etc. pero sin ostentación. Como para el Señor y no para los hombres.

Conclusión:

Tenemos aquí un hermoso ejemplo para imitar. Nuestra **mayordomía** no debe ser soberbia ni ostentosa, sino sencilla y llena de fe. Nuestra forma de obrar debe producir en nuestros hermanos el deseo de imitarnos. Debemos llegar ante el altar de Dios en humildad y amor.

ILUSTRACIONES Y AYUDAS: Bosquejos 8.1. a 8.3.

1.- No hay más sordos que los que no quieren oír.

Horacio Bushnell, teólogo evangélico que vivió de 1802 a 1896, hizo esta interesante lista de excusas de aquellos que no quieren dar para la obra del Señor:

1.- Los que creen que el mundo no está perdido y por lo tanto no necesitan al Salvador Cristo Jesús.

2.- Los que creen que Jesucristo cometió un error cuando dijo: "Id por todo el mundo; predicad el evangelio a toda criatura".

3.- Los que creen que el evangelio no es "poder de Dios" y que no puede salvar a los paganos.

4.- Los que creen que cada hombre debe entendérselas consigo mismo, y que están prontos a contestar como Caín; "¿Soy yo guarda de mi hermano?"

5.- Los que creen que no tienen que dar cuenta a Dios del dinero que Dios mismo les ha confiado.

6.- Los que ya están preparados para responder a la sentencia final que Jesús les dirá: "Por cuanto no lo hicisteis a uno de estos pequeñitos, ni a mí lo hicisteis"[2]

2.- Sinceridad en las ofrendas

En cierta ocasión alguien estaba procurando obtener dinero para una institución benéfica. Iba a visitar a un hombre rico, pero no muy generoso. El solicitante pidió a otro creyente de la misma iglesia datos acerca de aquél a quien iba a visitar y de la cantidad que él creía que podría darle.

—No sé. Si usted pudiera oírle orar pensaría que habría de darle todo lo que posee...

Cuando el solicitante visitó al hombre rico se sorprendió, pues rehusó darle algo. Al instante se le ocurrió repetirle las palabras que su amigo le había relatado..."si pudiera oírle orar pensaría que daría todo lo que posee..."

El hombre rico, con vergüenza inclinó su cabeza, sacó su cartera y dio al solicitante una buena ofrenda.[2]

3.- Cuando Dios es la prioridad uno lo nota.

Estaba en una campaña de **mayordomía** en una provincia argentina. Se celebraba junto con ella la fiesta de las cosechas. La mayoría de los miembros de la iglesia eran rurales, sembradores de algodón. La respuesta de los hermanos fue significativa, ya que la ofrenda que se levantó para edificar el nuevo templo llegó a los u$s 20.000.-

Pero el testimonio más importante que recogí en esa campaña fue el de una familia cuyos padres habían fallecido y los hijos tuvieron problemas en la administración del campo. Lo tenían hipotecado y no podían pagar los intereses. Uno de los hijos, el menor, se presentó ante los ancianos de la iglesia y pidió una ayuda para pagar los intereses de la hipoteca. Los hermanos dudaron en darle el préstamo pues temían que perderían todo. Sin embargo por amor a sus padres que habían sido tan fieles creyentes, accedieron a darle el nuevo préstamo. El joven, luego de recibir el dinero les dijo a los ancianos: —he decidido darle el diezmo al Señor de todo lo que el campo produzca.

Al año siguiente esa familia obtuvo el primer premio por la mejor semilla y por el mejor algodón, y pudieron pagar 50% de la deuda, al segundo año repitieron el éxito y saldaron la cuenta librando la hipoteca. Al tercer año —era el que correspondía al tiempo de la campaña— vino este joven hermano con el importe del diezmo prometido al Señor y su ofrenda fue 30% de lo recaudado esa noche. Dios es obrador de milagros, solamente hay que permitirle que él obre en medio nuestro.[1]

9.- LA MAYORDOMÍA Y LA GRACIA.

"...No estáis bajo la ley, sino bajo la gracia..." ¿Elimina la Gracia nuestras responsabilidades como fieles **mayordomos**? Esta es otra cuestión que siempre es presentada en nuestras reuniones cuando procuramos enseñar una correcta **mayordomía**.

Si somos fieles a las enseñanzas de Jesús, observaremos que lo que Él exige es una mayor preocupación para cumplir con nuestra tarea de fiel **mayordomo**. No elimina responsabilidades sino que las aumenta.

La Gracia trae consigo para el creyente una serie de responsabilidades que debe cumplir si es que quiere ser un buen **mayordomo**. Lo único que cambia es que, mientras la Ley era una imposición indeclinable de la voluntad de Dios y debía cumplirse correctamente por ser Ley, en la era de la Gracia, Jesús nos presenta el camino del amor para que el cumplimiento no sea una obligación sino un privilegio del creyente. Llegamos al mismo lugar, pero por caminos diferentes. El camino de la Gracia es más agradable.

Si la Ley, con sus obligaciones debía ser cumplida sin excepciones, en la era de la Gracia, por la abundancia del amor demostrado por Dios hacia nosotros, el cumplimiento de las responsabilidades que como creyentes tenemos debe ser aún mayor y más grato.

BOSQUEJO 9.1.
TÍTULO DEL MENSAJE:
La Gracia en el Nuevo Testamento.
Pasaje Bíblico: Mateo 10:8; Juan 1:15-17; 2ª Pedro 3:18

Introducción:

Así como el Antiguo Testamento se destaca por la Ley, el Nuevo Testamento se destaca por la Gracia. Dios dio, Jesús dio, los discipulos dieron, los primeros cristianos dieron, por lo tanto nosotros también debemos dar.

1.- Moisés, la Ley. Jesús, la Gracia.

a)   Por medio de Moisés Dios dio la Ley al pueblo.

b)   Por medio de Jesús Dios nos dio la Gracia.

c)   La Gracia nos revela la verdad de Dios.

2.- La Gracia debe compartirse.

a)   La Gracia es un don recibido de Dios.

b)   La Gracia nos enriquece y nos lleva a la verdad.

c)   La Gracia es para compartir a nuestros semejantes.

3.- Debemos crecer en la Gracia.

a)   Debemos aceptar la Gracia.

b)   Debemos comprender la Gracia.

c)   Debemos crecer en la Gracia.

Conclusión:

Nuestro crecimiento en la Gracia nos permitirá comprender mejor el evangelio que Jesús nos ha revelado. A través de la Gracia entenderemos la responsabilidad que tenemos como **mayordomos** de extender el conocimiento de la Gracia para que también otros sean salvos.

BOSQUEJO 9.2.
TÍTULO DEL MENSAJE:
La Gracia, supera a la ley.
Pasaje Bíblico: Romanos 5:20-21; Romanos 6:14

Introducción:

¿Cuál es la diferencia entre La Ley y la Gracia? ¿Por qué Dios por medio de Cristo nos reveló la Gracia? Son interrogantes para muchos creyentes. Vamos a tratar de responderlas.

1.- La Ley no eliminaba el pecado.

a) La Ley manifestaba la voluntad de Dios.

b) La Ley mostraba el bien sobre el mal.

c) La Ley señalaba el pecado pero no lo eliminaba.

d) La muerte seguía reinando.

2.- La Gracia vence al pecado.

a) La Gracia denuncia el pecado.

b) La Gracia por méritos de Cristo derrota el pecado.

c) La Gracia nos libra del pecado.

d) La Gracia derrota la muerte.

3.- Ahora estamos bajo la Gracia.

a) Vivimos en una era especial para el mundo.

b) La proclamación del evangelio debe llegar a todo lugar.

c) Si somos beneficiados por la Gracia, nuestra responsabilidad es predicarla.

d) A través de una **mayordomía total** podemos ser fieles discípulos de Cristo.

Conclusión:

No podemos perder más tiempo. Es hora de proclamar la verdades de Jesucristo. La Gracia salvadora debe llegar a todo ser humano. Jesús nos comisionó para hacerlo. Crezcamos en la Gracia, desarrollemos nuestra **mayordomía total** y cumplamos con el Maestro.

BOSQUEJO 9.3.
TÍTULO DEL MENSAJE:
La Gracia en la iglesia Neotestamentaria.
Pasaje Bíblico: Efesios 2:4-10; Gálatas 2:16; Santiago 2:20.

Introducción:

La salvación no es algo que se puede comprar. No hay dinero humano que pueda pagarla. Tampoco por las obras. No hay obrar humano que pueda saldar la deuda. Sólo es por Gracia de Dios. La muerte de Cristo fue el precio que Dios pagó.

1.- Las obras no nos salvan.

a)   Nadie puede obtener la salvación por las obras.

b)   Nadie puede comprar la salvación.

c)   Las obras son consecuencia de la fe.

d)   Una salvación sin obras no es completa.

2.- Por Gracia somos salvos.

a)   Es por el don inefable de Dios.

b)   Por nuestros méritos la muerte era nuestra paga.

c)   El amor de Dios hacia nosotros ha realizado el milagro de la salvación.

d)   Ahora a través del arrepentimiento somos salvos por la Gracia.

3.- El sacrificio de Cristo, obra de la Gracia.

a)   La Ley necesitaba de un sacrificio.

b)   La Gracia ofreció al mundo el Cordero de Dios.

c)   Cristo el Hijo de Dios fue inmolado por nuestros pecados.

d)   La muerte redentora de Cristo, Gracia de Dios, es el sacrificio único y verdadero.

Conclusión:

Ante tan preciado don de la Gracia, nosotros debemos redoblar nuestros esfuerzos para vivir de acuerdo a la voluntad dé Dios y ofrecernos para realizar obras dignas de nuestro arrepentimiento. Una **mayordomía total** nos es demandada para que podamos llevar a otros al conocimiento de esta verdad.

ILUSTRACIONES Y AYUDAS: Bosquejos 9.1. al 9.3.

1.- Primero debemos vaciarnos.

J. Hudson Taylor, en una alocución a unos misioneros que eran enviados a la China les decía: "Cuando Jesús vino al mundo, lo primero que tuvo que hacer fue "vaciarse" de su Gloria, para poder "llenarnos" de su Gracia. Él dio todo lo que poseía, hasta la vida. También nosotros para "llenar" a otros, es necesario que nos "vaciemos" de mucho bienestar, honores, facilidades, etc. Es en el espíritu cristiano de renunciación, que lograremos la bendición de enriquecer a los demás.[2]

2.- La obra de Cristo primero.

Cuenta el Dr. Scarborough, célebre predicador, que estaba atendiendo una semana de reuniones en una localidad que distaba unos 250 kilómetros de su pueblo donde oficiaba de pastor, cuando recibió una comunicación urgente de su esposa indicando que su hijo estaba enfermo y que el médico había diagnosticado pulmonía (eran tiempos cuando la penicilina y otros antibióticos aún no habían sido descubiertos). La esposa no le pedía que él volviese al hogar, nunca se lo había pedido en más de 400 campañas que él llevaba realizadas; sin embargo su deber de padre tocó su corazón.

Fue a ver al pastor de la iglesia en la cual se desarrollaba la campaña y le dio el mensaje. El pastor le preguntó: —¿tiene usted que regresar a su hogar? El predicador le respondió: —no sé. Hay un tren hoy a las seis de la tarde, pero si voy no estaré en el culto de la noche. Si voy mañana, llegaré pasado mañana a mi hogar y no sé cómo estará mi hijo. El pastor le volvió hablar diciendo:

—Haga como le parezca, pero le recuerdo que ha llegado esta mañana un granjero con su esposa e hija viajando 150 kilómetros para escuchar su predicación. Nadie más tiene una influencia sobre sus corazones como usted y lo demuestra el esfuerzo en venir.

El predicador fue al cuarto y se puso de rodillas presentando su problema al Señor, debía decidir entre tratar de ganar almas o ir a ver a su hijo. Él era depositario de la Gracia de Dios y la había experimentado en su vida. Sabía que esa noche habría personas que sin Dios y sin esperanzas esperaban encontrar una luz que le permitiera hallar esa Gracia salvadora. No le costó mucho tomar la decisión. "Voy a predicar, mi hijo queda en las manos de Dios".

Esa noche unas quince personas aceptaron la Gracia salvadora de Jesucristo, entre los que se encontraba el granjero y su familia. Cuando el predicador llegó a su hogar, su hijo estaba recuperado y sano. La enfermedad no había tenido la gravedad que el doctor pronosticó.[2] (adaptado).

10.- LA MAYORDOMÍA Y EL DIEZMO.

"...Esto era necesario hacer, sin dejar de hacer aquello..."
Resulta curioso que Jesús no habló demasiado sobre el diezmo.
En un par de oportunidades se refirió a este tema y utilizó las
ocasiones para darle al diezmo el significado que quizás la Ley
no mostraba.

El diezmo debía continuar, de lo contrario hubiera hecho
como en la celebración de la última Pascua con sus discípulos,
donde dejó establecido que la Pascua terminaba y se establecía
un nuevo Pacto en su sangre; lo que llamamos nosotros la
Cena del Señor.

Lo que Jesús destacó es que el diezmo, como simple
cumplimiento de una responsabilidad no es suficiente. Debe
venir acompañado de una correcta manera de vivir. Jesús
exigió un estilo de vida distintivamente cristiano, donde nosotros demostremos con nuestras actitudes que somos correctos **mayordomos de lo que tenemos, sabemos y somos**. Sin
esto, el diezmo carece de valor para Jesús. Con el correcto
comportamiento el diezmo no sólo es nuestra responsabilidad,
sino que lo prestigiamos por la manera como administramos
el resto de nuestra vida.

¡La **mayordomía total**, para Jesús, es la única manera de
vivir una vida cristiana triunfante!

BOSQUEJO 10.1.
TÍTULO DEL MENSAJE:
El diezmo no es nuestro
Pasaje Bíblico: Levítico 27:30

Introducción:

Debemos tener cuidado con la forma como presentamos a nuestros hermanos de la iglesia la demanda de dinero. En los últimos tiempos han aparecido formas no bíblicas de reclamar dinero. Hay una sola forma de solicitar bienes que nunca será rechazada por los feligreses, es el sistema bíblico de Diezmo y ofrendas. Todo lo que hagamos fuera de ese modelo y sin base bíblica traerá complicaciones. Con la Biblia en la mano, el creyente entiende mucho mejor. Ante un tema tan serio, no cometamos errores. Dios lo hizo fácil, no lo compliquemos.

1.- El diezmo es de Dios.

a)   Esta es la primera verdad que debemos enseñar.

b)   Lo sagrado debe mantenerse como tal. Apartado para Dios.

c)   El diezmo es de Dios. Él lo envía para que nosotros lo llevemos a la iglesia.

d)   Sólo a través de una **mayordomía** bien desarrollada lo comprenderemos.

2.- Sólo la iglesia puede administrarlo.

a)   Si es de Dios, sólo la iglesia puede administrarlo.

b)   Por lo tanto el diezmo que no es nuestro sino del Señor, debe entregarse en la iglesia.

c)   No tenemos derecho nosotros a disponer de Él ordenando su destino. Sólo la iglesia.

d)   Cualquier otra forma de dar el diezmo, modifica la voluntad de Dios.

3.- Dios quiere mayordomos fieles.

a)   Por esto es importante la enseñanza de la **mayordomía** bíblica, no la del hombre.

b)   Usando la Biblia en la enseñanza, el Espíritu Santo ayudará a su entendimiento.

c)   Si somos fieles a Dios Él será fiel a nosotros. Sólo reclama que seamos fieles **mayordomos.**

d)   Recordemos, el diezmo es de Dios, es sagrado, no nos pertenece.

Conclusión:

Destaquemos las experiencias de quienes han "probado" a Dios. Mencionemos los testimonios de los hermanos que al convertirse en fieles **mayordomos** comprobaron el amor y la protección de Dios. No dejemos de enseñar la doctrina de la **mayordomía** cristiana. No seamos responsables de que los hermanos pierdan bendiciciones que Dios está dispuesto a enviarles por su fidelidad, debido a que no nos atrevemos a enseñarles la verdad de Dios sobre el tema. Seamos también en la predicación y en la enseñanza, fieles **mayordomos.**

BOSQUEJO 10.2.
TÍTULO DEL MENSAJE:
El diezmo no es ofrenda
Pasaje Bíblico: Levítico 27:30; Nehemías 10:37-39

Introducción:

No tengamos temor de hablar sobre este tema de la **mayordomía** cristiana. Mucho daño hemos hecho a nuestras congregaciones por no hablar con claridad bíblica sobre el tema. No sigamos privando a nuestros hermanos de recibir bendiciones que Dios tiene para ellos al ser fieles **mayordomos.**

1.- El diezmo es cosa "sagrada".

a)   Lo "sagrado" significa "apartado", "intocable".

b)   Lo "sagrado" no nos pertenece. Dios lo apartó para Él.

c)   Si yo dispongo de lo "sagrado" cometo un serio pecado.

2.- El diezmo es enviado por Dios.

a)   Dios lo hizo "sagrado" para que lo apartáramos para Él.

b)   Dios lo hizo "sagrado" para que llegara a la iglesia.

c)   Dios no tiene otro camino que nuestra fidelidad en el manejo de lo "sagrado".

d)   Dios confía en nuestra **mayordomía** cristiana.

3.- La entrega del diezmo es sólo señal de fiel mayordomo.

a)   El diezmo es de Dios y Él lo envía a través de nosotros.

b)   Cuando llevamos el diezmo al templo, no estamos ofrendando.

c)   Simplemente oficiamos de **mayordomos** de Dios. Llevamos lo de Él.

d)   A la iglesia la sostiene Dios. Nos usa a nosotros como medio por el cual Él envía el dinero.

Conclusión:

La promesa de Dios es que si nosotros somos fieles en la entrega de "su" dinero a la iglesia, Él hará posible que nuestras 90 partes del dinero sean bendecidas y tengamos más que los que se quedan con las 90 partes y el diezmo, o parte de él. Esta es la real experiencia de quienes han "probado" a Dios. No perdamos la oportunidad de ser bendecidos usando el sistema bíblico de llevar a la iglesia como fieles **mayordomos** el dinero que Dios envía por nuestro intermedio. Hagamos que Él no se sienta defraudado al haber confiado en nosotros.

BOSQUEJO 10.3.
TÍTULO DEL MENSAJE:
El diezmo, el primer peldaño para
contribuir a la obra de Dios
Pasaje Bíblico: 2ª Corintios 9: 8-11; Hechos 2:43-47

Introducción:

En el Nuevo Testamento, la demanda de Dios es mucho más que el diezmo. Hubiera sido ridículo a los primeros cristianos hablarles del diezmo. Lo daban "todo" para el Señor. Por eso el diezmo es sólo el primer peldaño que demuestra cómo debemos llevar el dinero a la iglesia. Dios espera mucho más. Espera nuestras ofrendas también.

1.- En la Gracia, el diezmo es lo mínimo.

a) Si en la Ley, por obligación debían llevar el diezmo al templo, ¿será menos en la Gracia?

b) En la Gracia debemos sobreabundar, pues Dios ha sobreabundado.

c) Debemos imitar a los primeros cristianos en su entrega al Señor.

2.- En la Gracia no hay ley, hay amor.

a) Por la Ley estaban obligados.

b) Por la Gracia, Dios confía en nuestra fidelidad como **mayordomos.**

c) ¿Vamos a defraudar a quien dio su vida por nosotros?

3.- En la Gracia Dios pide "todo".

a) Dios necesita dones, talentos y bienes.

b) Ha puesto nuestra confianza en nosotros.

c) Necesita nuestra **mayordomía total.**

Conclusión:

Dios espera que nosotros seamos generosos con nuestras ofrendas. Luego de entregar el diezmo Él espera que seamos capaces de confiar en su poder y en su protección y que lleguemos al templo con ofrendas que hablen de nuestro agradecimiento a quien nos rescató del pecado. Seamos fieles **mayordomos,** para permitirle que Él pueda enviarnos bendiciones en toda nuestra vida.

BOSQUEJO 10.4.
TÍTULO DEL MENSAJE:
La iglesia neotestamentaria y el diezmo.
Pasaje Bíblico: 1ª Corintios 16:1-2; 1ª Corintios 4:1-2; 1ª Tesalonicenses 1:2-10

Introducción:

El diezmo en la iglesia neotestamentaria era largamente superado por la entrega de los primeros cristianos. Algunos hasta se despojaron de sus propiedades y lo compartían todo. Cuando se ordena la situación de la iglesia en los primeros siglos, el diezmo vuelve a tomar forma. Nosotros rescatamos esta idea pues nos convence la forma cómo Dios lo instituyó en la Ley y demuestra que Él sigue siendo el fiel proveedor para su iglesia cuando encuentra fieles **mayordomos.**

1.- ¿Diezmo en la iglesia neotestamentaria?

a) La razón por la cual Jesús no habló demasiado sobre el diezmo era porque su exigencia sería mayor.

b) Los discípulos y los primeros cristianos lo dieron "todo".

c) No tuvieron leyes, tuvieron amor.

2.- Ofrendaron según Dios les prosperaba.

a) Una adecuada norma, a mayor prosperidad mayor ofrenda.

b) Cuando fueron desafiados respondieron con amor.

c) Pobres o ricos, dieron con gratitud. 2ª Corintios 8:1-5.

3.- Si en la Gracia no superamos la Ley, fracasamos.

a) La Gracia nos dio la victoria por Jesucristo.

b) La Gracia significó nuestra redención.

c) La Gracia nos convirtió en pueblo de Dios.

d) En la Gracia debemos superar la Ley

Conclusión:

En la iglesia neotestamentaria tenemos muchos ejemplos para imitar. Aun en la extensión de la obra podemos tomar el ejemplo de los Tesalonicenses. Solos, sin ayuda, pero con inmenso amor llenaron a las ciudades vecinas con el evangelio de Jesucristo. No tuvieron ninguna "misión" que los sostuvieran. Su **mayordomía** hizo posible el milagro. Dios estuvo con ellos, mucho más importante que cualquier misión. Tomemos el ejemplo y sigamos avanzando por medio de una **mayordomía total** en lealtad a nuestro Señor.

ILUSTRACIONES Y AYUDAS: Bosquejos 10.1. al 10.4.

1.- El diablo hace su trabajo y nosotros caemos en su trampa.

El diablo sabe que una de las armas más fuertes que adquiere el cristiano es cuando se convierte en diezmero. Él sabe que siendo **fiel mayordomo** de su vida el cristiano descubre el poder y la protección de Dios. Es muy difícil que un cristiano que no sea diezmero, haya podido comprobar la forma cómo Dios se hace presente en su vida y en su hogar. Por más espiritual que pretenda ser, nunca comprobará ese poder de Dios si no es fiel diezmero.

Los cristianos diezmeros han superado toda avaricia y han renunciado a los intereses mezquinos de esta vida. Han sabido decirle al materialismo —dios de los hombres— no nos interesas. Se han superado espiritual y materialmente. No tienen miedo del mañana, están seguros en sus hogares y con sus familias, pues Dios es su roca y fortaleza. Saben que cumplen con la voluntad del Señor y que el Señor cumple también sus promesas. En su mayoría los diezmeros son cristianos activos y colaboradores en las tareas de la iglesia. Su interés principal es servir al Señor pues han comprobado la fidelidad del Señor para con ellos.

Es por eso que el diablo lucha denodadamente contra el diezmo. Casi siempre usa dos frentes:

1.- A los miembros los enfrenta con el juego de: "el diezmo es de la ley, ahora estamos en la gracia". "No corresponde diezmar".

2.- A los pastores les dice: "No hables del diezmo, los miembros van a pensar que tú quieres que te aumenten el sueldo, además, tú no tienes demasiado como para diezmar".

¿Y qué ocurre en nuestras iglesias? Los pastores ignoran el diezmo y rara vez hablan de él desde el púlpito —acepto que hay excepciones—, pero en la mayoría de los casos es así. A su vez los miembros discuten entre sí, si la gracia, si la ley, y no aportan el diezmo. Entonces el diablo se frota las manos y se alegra pues si el cristiano no lleva el diezmo a la iglesia, el diablo se lo quitará de alguna manera. Pueden tener la seguridad de que es así. Nadie puede disfrutar del diezmo aun cuando pretenda quedárselo para sí. La experiencia es amplia en ese sentido. ¡Por favor!, seamos cristianos responsables, ¡no le hagamos fácil el trabajo al diablo![1]

2.-Experiencias positivas.

En todas las campañas o series especiales de **mayordomía** que he dirigido en mi vida, he tenido la misma experiencia: los miembros aumentaron considerablemente sus contribuciones y el número de diezmeros aumentó. Debo aclarar que siempre he sido muy sincero en mis enseñanzas teniendo como único texto la Palabra de Dios. He comprobado que cuando el creyente oye y lee lo que Dios nos pide y uno se lo explica con sencillez, su reacción siempre ha sido favorable.

Las ilustraciones con testimonios de los hermanos me han ayudado siempre y muy especialmente mi propio testimio personal acerca de la forma cómo comprendí este claro mensaje del Señor. Debo confesar que a veces la reacción de los miembros de las iglesias me ha sorprendido. Muchas veces han ido más allá de mis cálculos más optimistas.

He visto pastores que con temor estaban llevando adelante esta actividad, temiendo que los hermanos se ofendieran y resultó que luego los hermanos daban gracias a Dios porque les habíamos permitido comprender con claridad este tema tan sencillo, pero que muchos lo creen tan complicado.

Comprendí que cuando el pastor y los líderes están convencidos del diezmo, la tarea a realizar es más sencilla. En cambio cuando el pastor y los líderes no tienen una posición tomada, aún cuando el resultado de la campaña fuere buena, luego se va perdiendo poco a poco el entusiasmo y a los pocos meses la iglesia está igual. Por eso es importante capacitar a los pastores y a los líderes sobre esta cuestión.[1]

3.- Sorpresa general

En una campaña realizada en una iglesia de unos 500 miembros sucedió un caso muy particular. El pastor siempre tenía temor de hablar a la congregación sobre aumentos en la contribución y mucho más mencionar la palabra "diezmo". Los líderes por lógica consecuencia tenían un pensamiento similar. Sin embargo algo tenían que hacer pues los ingresos estaban resultando insuficientes para el sostenimiento de las actividades normales de la iglesia.

Después de haber predicado en algunas oportunidades a la congregación sobre el tema de **mayordomía**, como "invitado", y viendo la reacción de los miembros, le sugerí al pastor que debía tener una campaña especial de **mayordomía** si quería solucionar el problema. Me respondió: —no puedo, la comisión de la iglesia no me lo permite. Entonces yo le sugerí que empezáramos con una campaña de capacitación en **mayordomía** a la comisión.

—Ah, eso puede ser, voy a consultarles —me respondió.

La comisión aceptó y luego de la capacitación decidieron desarrollar una campaña de **mayordomía** en la iglesia. Y aquí vino la gran sorpresa: la comisión había presentado un presupuesto duplicado para el desafío de la campaña. Lo hacían con temor y temblor. Desarrollamos la campaña, hicimos el desafío, y cuando fuimos a contar las promesas, mientras los demás hermanos pasaban a un refrigerio, nos encontramos con la grata sorpresa de que los miembros prometían el doble de lo que la iglesia reclamaba. Equivale a decir cuatro veces el viejo presupuesto que casi no podían cumplir antes de la campaña. ¡Dios puede!, ¡Los hermanos pueden! ¡Sólo hay que hablarles con la Biblia abierta![1]

11.- LA MAYORDOMÍA Y LAS OFRENDAS.

"...Pero ésta, de su pobreza echó todo lo que tenía..." Es interesante cómo Jesús diferenció las ofrendas, del diezmo y las limosnas. Sus enseñanzas son profundas y nos muestran el camino que debemos seguir en nuestra vida critiana.

Para Jesús, las ofrendas son los recursos que apartamos para la obra de Dios de la parte que nos queda a nosotros luego de haber apartado el diezmo. Es decir de nuestro sustento.

Deducimos también por esta forma de pensar de Jesús, que el diezmo no es ofrenda, sino el cumplimiento de nuestra responsabilidad como buenos **mayordomos**, llevando a la casa del Señor lo que Dios envía para su Obra. Nosotros no tenemos derecho a administrarlo, sino la iglesia. Es dinero sagrado, no es nuestro.

Queda claro también que cuando llevamos a la casa de Dios dinero que es fruto de lo que nos sobra, no estamos haciendo ninguna ofrenda, sino simplemente una contribución a la Obra.

La ofrenda tiene sentido de sacrificio, entrega y reconocimiento a Dios. Es parte de la adoración y debe ser recogida en el templo en el momento cumbre de nuestro culto de adoración a Dios.

BOSQUEJO 11.1.
TÍTULO DEL MENSAJE:
La ofrenda proviene de lo nuestro
Pasaje Bíblico: Marcos 12:41-44; 2ª Corintios 9:7

Introducción:

Queremos destacar para orientación de los creyentes lo que es ofrenda. La característica de la ofrenda es el sacrificio.

Toda ofrenda tendrá su importancia en proporción al sacrificio que haya costado. Siempre parte de lo nuestro, es decir lo que nos queda luego de separar el diezmo.

1.- Todo ingreso debe administrarse bajo la soberanía de Cristo.

a) No debemos pensar que luego de separar el diezmo, lo que queda lo podemos administrar a nuestro antojo.

b) Dios desea que seamos disciplinados en el manejo del total de nuestros ingresos.

c) Si no somos cuidadosos podemos darle al diablo más de lo que le damos a Dios.

2.- La ofrenda es disposición nuestra.

a) Debemos disponerla de lo que nos queda luego del diezmo.

b) Aun con sacrificio, pero con gozo.

c) Dios valora nuestra disposición de agradarle a través de nuestras ofrendas.

3.- Característica de nuestra ofrenda.

a) La mezquindad es producto de "avaricia".

b) La necesidad es producto de la "obligación".

c) La alegría es producto del "amor".

Conclusión:

Nuestras ofrendas deben estar caracterizadas por el amor. Es el único camino para dar con alegría. Una ofrenda dada sin alegría, no es aceptada por Dios. La iglesia la recibe, pero no tiene la bendición de Dios hacia nosotros. Lleguemos ante el altar del Señor con ofrendas llenas de amor y de alegría. Seamos buenos **mayordomos**.

BOSQUEJO 11.2.
TÍTULO DEL MENSAJE:
La ofrenda fruto del amor de Dios hacia nosotros
Pasaje Bíblico: Juan 3:16-17; 1ª Juan 3:1; Efesios 3:19

Introducción:

Debemos ser sinceros y comprender que nuestras ofrendas deben superar la demostración de nuestro amor hacia el Señor. Tienen que ir más allá, a las alturas de nuestra entrega que Dios desea. Dar por amor puede darnos alegría, pero hay una medida aún mayor de la razón por la cual nosotros ofrendamos.

1.- La terrible condición del pecador.

a) Alejado de Dios.

b) Viviendo al capricho personal del ser humano.

c) Sin Dios, sin fe, sin esperanza. Sin mañana.

d) Gastando fortunas en el pecado.

2.- El inmenso amor de Dios.

a) Dios nos amó de una manera fuera de lo normal.

b) Su amor hacia nosotros le llevó a sacrificar a su Hijo en la cruz.

c) No hay otro amor igual.

d) Su amor no tiene precio, no nos cuesta nada, es por Gracia.

3.- No por mi amor, sino por el de Él.

a) La medida correcta para medir nuestra ofrenda.

b) No sólo como consecuencia del amor que tengamos hacia Dios.

c) Sino en la dimensión de considerar el amor que Él tuvo hacia el pecador.

d) La más sabia inversión de nuestros recursos.

Conclusión:

Cuando llevemos al altar del Señor ofrendas que sean fruto del amor que Él ha tenido para con nosotros, nos encontraremos con ofrendas dignas, alegres y entusiastas. Esta es la mejor manera de ofrendar y la que nos brindará mayor gozo. Su amor ha sido mucho más amplio del que nosotros podamos tener por Él. Un fiel **mayordomo** siempre realizará ofrendas de amor.

BOSQUEJO 11.3.
TÍTULO DEL MENSAJE:
La ofrenda y la adoración
Pasaje Bíblico: 2ª Corintios 9:7; 2ª Corintios 9:12-15

Introducción:

La ofrenda forma parte del culto de adoración. Debe recogerse en el momento cumbre de la adoración. Debemos darle toda la importancia que Dios le da. Debenos hacerle sentir a la congregación ese momento tan solemne.

1.- La ofrenda, una entrega agradable.

a) Un acto de amor y alegría.

b) Una demostración de nuestra **mayordomía.**

c) Un acto de adoración solemne.

2.- La ofrenda, un ministerio de oración.

a) En cada ofrenda hay un cúmulo de oraciones elevadas a Dios.

b) Ora el que pide, ora el que ofrenda, ora el que recibe. Todos alaban a Dios por el acto de ofrendar.

c) Para el apóstol Pablo la ofrenda es un ministerio de adoración compartida.

3.- La ofrenda, el punto culminante de la adoración.

a) La ofrenda es una parte importante del culto.

b) Debemos destacar el sentido espiritual cada vez que realizamos una ofrenda.

c) Por eso debemos recogerla durante el culto de adoración, con reverencia.

Conclusión:

Resulta triste en muchas ocasiones ver que en las iglesias la ofrenda es levantada sin mayor cuidado y preparación espiritual. En algunas iglesias están cantando el último himno y aprovechan a levantar la ofrenda como si fuera algo "desconectado" del culto. Debemos combatir esta forma de obrar y darle a la ofrenda el lugar que corresponde en el culto de adoración. Todo lo que hagamos en ese sentido será una bendición. La iglesia debe reflejar una fiel **mayordomía** en su manera de obrar.

ILUSTRACIONES Y AYUDAS: Bosquejos 11.1. al 11.3.

1.- ¡Pastor!, ¡no se lleva la ofrenda!

En una iglesia estaban construyendo el templo y como es sabido en los países con inflación económica, siempre resulta que el dinero calculado no alcanza y hay que reforzarlo con nuevas ofrendas. Era un tiempo muy difícil y los hermanos tuvieron que hacer mucho sacrificio para reunir los fondos necesarios.

Faltaba muy poco para terminar el templo y la iglesia decidió hacer un último esfuerzo. Esto lo habían resuelto en una reunión del domingo por la noche y como algunos hermanos faltaron a ese culto, se le pidió a los integrantes de la comisión de edificaciones que visitara a los ausentes y les comunicaran lo resuelto.

Le correspondió al pastor visitar a un hermano. El mismo lunes fue a verlo para enterarse si quizás estaba enfermo o había tenido algún problema. Le contó lo resuelto por la iglesia y este hermano reaccionó desfavorablemente:

—¡Otra ofrenda para el edificio! ¡No pastor! yo no voy a colaborar, ¡estoy cansado de tantas ofrendas!

El pastor con mucha sabiduría desvió la conversación y luego de un rato ofreció tener una oración antes de retirarse del hogar de este hermano. Al orar mencionó las veces que nosotros vamos a la presencia de Dios pidiendo ayuda y le rogó a Dios que no desoyera las veces que el hermano fuera a la presencia de Dios demandando ayuda...

Terminó de orar el pastor y se retiraba ya de la casa cuando el hermano le dijo:

—¡Pastor! ¡No se lleva la ofrenda!

—Pero usted había dicho que no colaboraría, respondió el pastor.

—¡No!, ¡No! dijo el hermano, llévela, no sea que Dios se canse de mis demandas y entonces sí que tendré problemas.[1]

2.- La mayordomía alcanza a todo y a todos.

Durante un tiempo estuvimos proyectando por radio Trasmundial unas conferencias sobre **mayordomía**. Al finalizar las mismas indicábamos que si alguien deseaba más información sobre el tema, nos escribiera y le enviaríamos más material. Recibimos varias cartas y una de ellas venía de una congregación ubicada en las montañas del norte de América del Sur. Le enviamos el material de acuerdo a lo prometido.

Después de un tiempo y cuando ya casi nos habíamos olvidado de esta iglesia, llega una carta de su pastor. En el encabezamiento, antes de comenzar con los saludos decía:

—"Benditos los hermanos que son utilizados por Dios para que podamos entender mejor su Santa Palabra".

Luego venía el detalle de su carta. Entre otras cosas decía: —"Antes de escuchar los mensajes y leer el material que me enviaron, yo nunca hablaba de **mayordomía;** tenía miedo de que los hermanos pensaran que yo solicitaba más dinero para mi "cuchara" [expresión que equivale para mis necesidades]. Pero ahora en cambio, predico sobre **mayordomía** de mañana y de noche; a la iglesia, a las señoras y a los jóvenes. La membresía ha crecido notablemente y "ni le cuento de las ofendas".

La **mayordomía** no sólo provee mejores ofrendas, sino también más disposición de los hermanos para el trabajo general de la iglesia.[1]

3.- Los pobres también tienen derecho a ofrendar con gozo.

He tenido hermosas experiencias en mi ministerio de **mayordomía,** observando con qué gozo los pobres traen sus ofrendas al Señor. Tengo muchas ilustraciones que iré presentando en el curso de este libro. Hoy quiero referirme a una actitud de un matrimonio pobre, ya adulto, que me impactó en mi adolescencia y de quienes recibí una clara lección de **mayordomía.**

Se trataba de una pareja que había conocido el evangelio siendo ya adultos, con hijos y nietos. No estaban casados pero antes de bautizarse regularizaron su situación. ¡Nunca antes había visto que los hijos y los nietos asistieran a la boda de sus padres! Pero ese cambio de actitudes es lo que hace el evangelio de Jesucristo cuando entra en el corazón de la gente. Fue un testimonio para toda la población.

Este matrimonio venía todos los domingos al culto y durante la ofrenda yo veía que entregaban siempre un puñado de monedas de cinco centavos. Esto despertó mi curiosidad y les pregunté un día por qué siempre eran monedas de cinco centavos. Ellos me respondieron que había una razón muy especial. En aquel entonces en mi país todavía no existía la jubilación, ni las pensiones, de manera que cada uno buscaba una forma de sustento que le pudiera durar y ayudar aun en la vejez. Ellos habían instalado un criadero de gallinas y vivían de las ganancias que le daban la venta de los huevos de esas gallinas. El precio de la docena de huevos era en aquel entonces de $0.35. Ellos habían dispuesto dar al Señor $0.05 por cada docena que vendían. Esa era la razón de las monedas de cinco centavos.

Con la picardía de un adolescente, yo me puse a pensar, eso es más que el diezmo, pues el diezmo de una docena eran $0.035. Además, como algunos hacen, hubieran podido calcular el costo de la alimentación y los gastos de mantenimiento de las gallinas, para descontarlos y hacer que el diezmo fuera menor. Aparte eran muy pobres y sus viviendas muy precarias, de manera que podrían haber argumentado su imposibilidad de ofrendar, o por lo menos ofrendar una menor cantidad. Pero ellos no lo hicieron. Mi reflexión final fue: ¡Quién le quita a este matrimonio el gozo de contribuir para la obra del Señor! ¡Bendito sea Dios que hace que aún los pobres puedan regocijarse en la Gracia de dar![1]

12.- LA MAYORDOMÍA Y LAS LIMOSNAS

"...No sepa tu izquierda lo que hace tu derecha..." Jesús también fue claro en cuanto al concepto que debemos tener de la limosna y del respeto que tenemos que tener hacia el necesitado.

Jesús nos dejó una tremenda enseñanza de respeto por los derechos humanos. Estableció que la limosna no reemplaza al diezmo ni a la ofrenda. Es una expresión de amor hacia el necesitado y es durante la limosna cuando Jesús dijo: "...no sepa tu derecha lo que hace tu izquierda..." Muchos mencionan esta frase para eludir su responsabilidad de dar, en relación al diezmo y/o la ofrenda; pero se equivocan. Jesús la expresó sólo en relación con la limosna, justamente para respetar al que está en necesidad.

Somos también buenos **mayordomos** cuando cumplimos con las limosnas. Quizás el término esté hoy en desuso y sea más práctico decir: acción comunitaria, beneficencia, ayuda fraternal, etc., pero eso no cambia el espíritu de la actitud que Jesús quiere que tengamos en el momento de realizar la limosna.

BOSQUEJO 12.1.
TÍTULO DEL MENSAJE:
Las limosnas no son para Dios
Pasaje Bíblico: Mateo 6:1-4

Introducción:

Debemos aclarar bien el sentido de la limosna para que los creyentes como **mayordomos** tengan un correcto conocimiento de lo que representa. Muchas veces no se practica y cuando lo hacemos no es en la forma como Dios desea.

1.- La limosna en el tiempo de Jesús.

a) Formaba parte de una atención hacia el necesitado contenida en la Ley.

b) No siempre era otorgada dentro de las normas previstas. Se humillaba demasiado al que la recibía.

c) Se equivocaba el concepto; se hacía más bien para que luciera quien otorgaba la limosna.

d) Normalmente se entregaba fuera del templo, por ejemplo en las plazas o calles principales.

2.- La limosna una actitud generosa.

a) Jesús critica esta situación. Censura el despiadado afán de figuración y ostentación.

b) Jesús pone límites a esta forma de obrar, dando ejemplo de humildad y respeto por las necesidades del prójimo.

c) Jesús eleva la condición del prójimo en necesidad y pide respeto y consideración.

d) Jesús pide privacidad cuando realicemos alguna limosna.

3.- La limosna, una demostración de fiel mayordomo.

a) La limosna no debe ser ignorada por los miembros de la iglesia.

b) Como creyentes debemos atender las necesidades de los que están en indigencia.

c) Es una manera de testificar acerca de nuestro amor al prójimo.

d) Un fiel **mayordomo** siempre atenderá las necesidades de su prójimo.

Conclusión:

Debemos recomendar la práctica de la limosna o su equivalente en la expresión moderna de nuestro idioma. Siempre ha sido una práctica cristiana. Debemos hacerlo con sentido de solidaridad y no de ostentación. Debemos respetar los derechos humanos de nuestros semejantes en necesidad, así como nosotros desearíamos que se respeten los nuestros si llegáramos a estar en una situación igual. Eso será una demostración de que somos fieles **mayordomos.**

BOSQUEJO 12.2.
TÍTULO DEL MENSAJE:
La limosna fruto de nuestro amor al prójimo
Pasaje Bíblico: Mateo 6:1-4; Mateo 10:42

Introducción:

En todos los pueblos siempre habrá oportunidad de realizar limosnas. Debemos ser desafiados a dar ejemplos de solidaridad cristiana. Dios está esperando nuestra disposición de ayudar a los necesitados como Él lo hizo.

1.- Supliendo una necesidad del prójimo.

a) Cuando damos limosna estamos reemplazando a Jesús.

b) El mundo ve a Cristo a través de nuestras preocupaciones por el necesitado.

c) Cuando damos limosna, mostramos a través de nosotros, el amor de Dios.

2.- Mostrando nuestro amor al necesitado.

a) Si los necesitados fuésemos nosotros ¿cómo nos gustaría que nos trataran?

b) El cristianismo debe ser pionero en la ayuda al prójimo.

c) Muchas veces hemos pensado solamente en nuestros hermanos y nos olvidamos de los de afuera de la iglesia. Ellos esperan que Dios se manifieste a través de nuestro socorro.

3.- Sirviendo al desamparado en el nombre de Cristo.

a) Si actuamos en el nombre de Cristo debemos obrar como Él lo señaló.

b)   No cometamos el error de decir solamente "Dios te bendiga", cuando tenemos para dar abrigo y comida.

c)   Seamos sinceros **mayordomos** de Dios en la atención de las necesidades de nuestro prójimo.

Conclusión:

Recomendemos siempre a nuestros hermanos que cuando practiquen la limosna respeten siempre el derecho de los demás. Que sean comprensivos ante las necesidades de nuestros prójimos y que lo que hagan sea para la honra y gloria del Señor y no de ellos. Obremos como fieles **mayordomos** de las responsabilidades que el Señor nos ha dado.

BOSQUEJO 12.3.
TÍTULO DEL MENSAJE:
No sepa tu izquierda lo que hace tu derecha
Pasaje Bíblico: Mateo 6:1-4

Introducción:

Es muy común, cuando en nuestras iglesias hablamos acerca de la necesidad de ofrendar y de llevar adecuados controles de los diezmos y ofrendas, escuchar a los hermanos decir: "La Biblia dice que no sepa tu izquierda lo que hace tu derecha", como una forma de no aceptar ciertos controles y de rechazar cierta insistencia en la forma de dar. Es un grave error y debemos aclararlo.

1.- Frecuente error de interpretación.

a)   Cuando Jesús dice: "Que no sepa tu izquierda lo que hace tu derecha", se está refiriendo a la limosna y no a las ofrendas o diezmos.

b)   Es un grueso error de interpretación y debemos aclararlo.

c)   Casi siempre los que así se expresan suelen ser los más reacios en ofrendar generosamente.

2.- Consideración por el hermano en necesidad.

a) Lo que hace Jesús al expresarse así, es para respetar la dignidad del prójimo en necesidad.

b) Jesús nos da un hermoso ejemplo de humildad y rechaza toda ostentación y vanagloria.

c) Cuando damos limosna lo debe saber el necesitado, el que ayuda y Dios; nadie más.

3.- Jesús, ejemplo de respeto por los derechos humanos.

a) La preocupación de Jesús por resguardar la dignidad del necesitado es un hermoso ejemplo de respeto por los derechos humanos del prójimo.

b) Es una magnífica lección que debemos aprender.

c) Son normas que moldean nuestro deseo de ser fieles **mayordomos,** y debemos aplicarlas en nuestra vida como cristianos.

Conclusión:

Enseñemos esta lección de Jesús y ayudemos a nuestros hermanos para que sean fieles **mayordomos** cada vez que estén practicando una limosna. Que la gloria y el honor sean para Aquél que nos rescató de nuestro pasado de pecado.

ILUSTRACIONES Y AYUDAS: Bosquejos 12.1. al 12.3.

1.- Ejemplos que nos animan y renuevan nuestra fe en la juventud.

Me fue muy simpática la actitud de un grupo de adolescentes de una iglesia del interior del país, donde pude comprobar el espíritu de solidaridad y amor por el prójimo en necesidad. El líder del grupo supo guiarles para la realización práctica de esta lección de Jesús sobre la limosna.

Un matrimonio formado por personas muy ancianas eran miembros de la iglesia, tenían su modesta casita propia, pero vivían con mucha pobreza, pues tanto el esposo como la esposa estaban ya sin fuerzas para realizar trabajo alguno con el cual sostenerse.

Por orden del municipio de la ciudad, ellos debían renovar la acera del frente de su casa. Como no contaban con medios económicos suficientes, la iglesia dispuso comprar los materiales como una forma de ayudarles. Pero aún eso no era suficiente, pues se debía afrontar el costo del trabajo a las personas que renovaran la acera.

El grupo de adolescentes asumió la responsabilidad del trabajo y guiados por un hermano que sabía de albañilería, acompañados por el líder del grupo, realizaron la tarea con eficiencia y capacidad, donando todos el tiempo y la mano de obra utilizada.

Era impactante ver la gratitud del matrimonio de ancianos por esta prueba de solidaridad; pero mucho más era ver la alegría de los adolescentes por haber servido al prójimo y al Señor en una actitud digna de ser imitada.[1]

2.- Una reacción favorable.

En los últimos tiempos hemos visto un interesante cambio de actitud de la iglesia cristiana en relación con la atención de las necesidades del prójimo. Por mucho tiempo estuvimos limitando esta ayuda a los hermanos necesitados de la iglesia o, a otros hermanos de nuestra propia denominación, muy pocas veces extendimos la ayuda a otros grupos denominacionales.

Gracias a Dios se han superado ya muchas barreras y no sólo ayudamos a todo hermano que lo necesite, sino que se han creado organizaciones para servir al prójimo en el país o fuera de él, que esté en necesidad. Los centros comunitarios son muy comunes en las iglesias y en muchas de ellas se han abierto comedores para niños o para adultos, buscando ayudar a aquellos que están pasando necesidad. También el servicio de ropa y elementos para la comida son acumulados para atender necesidades imprevistas.

Damos gracias a Dios por este avance y rogamos a los hermanos que todo servicio al prójimo lo hagamos en el espíritu dado por el Señor cuando habló de la limosna: en secreto y sin ostentaciones, para no ofender al que está en necesidad y para respetar sus propios derechos.[1]

3.- Nunca prejuzguemos, seamos sabios.
El caso de la urraca y el obrero.

Se cuenta de un empresario que un día sin previo aviso despidió a uno de sus empleados. Este hombre, un fiel cristiano fue a su casa deprimido sabiendo que se quedaba sin trabajo y sin saber el porqué de su despido. Su preocupación era mayor aún al ver pasar los días y no encontrar una nueva ocupación. Un día, cuando ya no quedaban reservas ni comida en el hogar, la señora sintió que alguien arrojó algo al interior de la casa, gritando —¡allí tienen algo para comer!

La señora fue a ver lo que le habían arrojado y vio que era una urraca. La examinó y vio que estaba muerta, pero le llamó la atención que tenía un vientre tan hinchado. La abrió y encontró en su vientre una cadenita de oro con una piedra preciosa de un brillo claro. La llevó al joyero quien al verla reconoció que era una joya vendida al patrón del obrero, para su hija.

De inmediato la señora fue a devolverla al dueño de la empresa y allí se descubrió que la urraca era un animal que su hija había domesticado y había ingerido la cadenita y se murió ahogada. La niña cuando murió la urraca la arrojó y allí fue cuando la encontró un niño y se la tiró por la ventana a la señora del obrero.

Como la desaparición de la cadenita había coincidido con los días en que el obrero había realizado unos trabajos en la casa de su patrón, éste dedujo que el obrero había sido el autor de la desaparición de la cadenita y por eso lo había echado. Al darse cuenta del error, pidió perdón al obrero y lo reintegró a su trabajo.

¿Qué hubiera pasado si la urraca no aparecía? El obrero hubiera sufrido injustamente. Esto nos lleva a la reflexión de tener mucho cuidado cuando vamos a enjuiciar a nuestro prójimo. Debemos estar muy seguros antes de tomar alguna determinación que comprometa a los demás.[2] (adaptado).

13.- LA MAYORDOMÍA DE LOS DONES Y TALENTOS

"...Porque al que tiene, le será dado, y tendrá más..." Al hablar de **mayordomía total** nos estamos refiriendo a nuestra responsabilidad con respecto a nuestros **dones, talentos, tiempo, conocimientos, capacidad y bienes.** Muchas veces la **mayordomía** fue mal vista por los creyentes, pues fue referida solamente al campo económico. Era una apelación a realizar una mayor contribución.

Algunas iglesias acuden al tema de **mayordomía** cuando sus finanzas no andan bien; pero se olvidan de ella cuando todo anda en orden. No tratar el tema de la **mayordomía** es hacerle un daño a los creyentes, pues al no crecer ellos en la gracia de dar, dejan de recibir las bendiciones que Dios tiene dispuesto para ellos. Muchos pastores, sin darse cuenta, por no tratar este tema con franqueza, le están haciendo un daño a su congregación.

Dios ha supeditado sus bendiciones en relación directa a como el creyente cumpla con su **mayordomía**, no sólo de los bienes, sino todos sus talentos, dones, capacidades, tiempo, y conocimientos, los cuales multiplicará en proporción directa a como nosotros los dispongamos para su Obra.

BOSQUEJO 13.1.
TÍTULO DEL MENSAJE:
No mutilemos la mayordomía
Pasaje Bíblico; Efesios 4:11-12

Introducción:

Debemos predicar una **mayordomía total**. Limitar la **mayordomía** simplemente a los bienes es un grave error. Esta situación ha hecho que muchos "huyan" del tema **mayordomía** cuando es anunciado. Peor aún es predicar sólo **mayordomía** cuando falta dinero en la iglesia y la ignoramos cuando los ingresos son normales.

1.- La mayordomía cristiana no reclama sólo dinero.

a) Es un error relacionar la **mayordomía** sólo con el dinero.

b) Los creyentes sienten cierto "escozor" cuando se habla de este tema.

c) La culpa no la tiene la **mayordomía,** sino el enfoque equivocado que se le ha dado.

2.- La mayordomía cristiana incluye los dones y talentos.

a) No podemos excluir los dones, talentos, tiempo, conocimientos, capacidades y bienes.

b) La obra del Señor necesita de todas estas bendiciones que Dios nos ha dado.

c) La Gran Comisión ha sido concebida contando con todos estos elementos.

3.- Mayordomos de lo que sabemos, somos, y tenemos.

a) Cada uno de nosotros ha sido dotado de algunos dones especiales.

b) Dios está dispuesto a que esos dones sean multiplicados si los usamos para su Obra.

c) Dios reclama todo lo que somos, sabemos y tenemos; no para privarnos de ellos, sino para poder añadir más dones y bienes a nuestra vida.

Conclusión:

Eduquemos a nuestros hermanos en lo que en realidad es **mayordomía**; de esa manera lograremos que el tema sea mejor aceptado y ellos estén dispuestos a servir mejor al Señor y a la iglesia a través de una **mayordomía** más comprensiva.

BOSQUEJO 13.2.
TÍTULO DEL MENSAJE:
Dios puede multiplicar nuestros dones y talentos
Pasaje Bíblico: Filipenses 4:19; Efesios 3:14-21

Introducción:

La iglesia tiene la responsabilidad de capacitar a los hermanos para que cada día puedan ser más eficientes en su **mayordomía.** La Palabra de Dios nos muestra claramente cómo la capacitación debe desarrollarse a fin de que entre todos cumplamos con el plan de Dios.

1.- ¿Qué tienes en tu mano?

a)   A veces pensamos que tenemos que tener cierta preparación para servir al Señor.

b)   No siempre ello es indispensable pues Dios añade bendición.

c)   Es cierto que cuanto más capaces seamos, mejores **mayordomos** seremos.

d)   Sin embargo debemos recordar al niño de los panes y los peces: "¿Qué tienes en tu mano"? sea poco o mucho, no importa, dáselo al Señor Él lo multiplicará.

2.- Dios puede multiplicarlos.

a)   Muchos de nosotros somos testigos de lo que Dios hizo con nuestros dones y talentos.

b)   No éramos nada y Dios hizo el milagro de la multiplicación.

c)   No le niegues al Señor lo que tienes, Él lo transformará en bendición.

d)   Tu vida será enriquecida, moral, espiritual y materialmente.

3.- Sus riquezas en gloria son nuestras.

a)   Dios no recompensa como los seres humanos.

b)   Él tiene un modo especial de multiplicación.

c) Su recompensa es desde sus riquezas en gloria.

d) No pierdas la oportunidad de ser bendecido para bendecir.

Conclusión:

Dios necesita de todos en la iglesia. Pensar que sólo algunos pueden ser líderes es limitar el poder de Dios. Él quiere que todos seamos bendecidos y todos seamos partícipes del trabajo en su Obra. La **mayordomía** no es sólo para algunos, es para todos.

BOSQUEJO 13.3.
TÍTULO DEL MENSAJE:
Los dones y talentos y la obra misionera
Pasaje Bíblico: Mateo 28:18-20; 1ª Pedro 4:10-11

Introducción:

La obra misionera requiere de todos nuestros dones, talentos, bienes, tiempo, conocimientos y capacidad. La **mayordomía total** es indispensable para las misiones, pues ella proveerá de hombres, mujeres y bienes para realizar la obra. En el Nuevo Testamento **mayordomía** y misiones forman una unidad inseparable. También lo es en nuestros días.

1.- La obra misionera requiere "todo".

a) Sin dones, talentos y tiempo, la obra misionera es imposible.

b) Cada uno de nosotros según el don recibido debe actuar en favor de la obra.

c) Con dinero solamente no logramos nada. Dios precisa "todo" en la obra misionera.

2.- La obra misionera un desafío al creyente.

a) Nada desafía más a un creyente que la obra misionera.

b) Algunos darán sus bienes, otros sus dones y talentos; otros darán su tiempo.

c) Otros sostendrán las cadenas de oraciones necesarias pra el éxito.

3.- Sólo una mayordomía total permitirá una obra misionera agresiva.

a) Debemos ser conscientes que al menos que prediquemos y enseñemos una **Mayordomía Total,** no será posible cumplir fielmente la Gran Comisión.

b) Tampoco será posible cumplir con las misiones si no "vivimos" una **Mayordomía Total.**

c) Por lo tanto debemos predicar, enseñar y vivir una **Mayordomía Total** para que la iglesia pueda cumplir con la Gran Comisión.

Conclusión:

Seamos conscientes del desafío de la hora presente: Llegar a todo el mundo con el evangelio de Cristo. Seamos también conscientes en reconocer que sólo a través de una **Mayordomía Total** podremos hacer realidad este mandamiento del Señor.

ILUSTRACIONES Y AYUDAS: Bosquejos 13.1. al 13.3.

1.- Todos somos útiles para la obra del Señor.

Muchas veces pensamos que solamente podrán trabajar para el Señor aquellos que estén bien preparados y tengan una especialidad en la vida. Esto es un tremendo error. Es cierto que una persona que dedica su vida al Señor y le añade preparación siempre estará en mejores condiciones de servir; pero no podemos menospreciar a quienes no han podido capacitarse.

En mis largos años en el ministerio he comprobado cómo Dios usa a todo aquel que se esfuerza por servir al Señor, sin importar a veces su preparación o su capacidad. También es verdad que aun cuando la tarea o la persona no nos parezca lo suficientemente capaz, Dios puede multiplicar sus dones y utilizarlos para el bien de la obra. Deseo relatar algunas experiencias que he vivido:

En una importante ciudad del interior del país existía una iglesia que había progresado mucho. Su membresía estaba formada en su mayoría por inmigrantes europeos, en su mayoría españoles e italianos, algunos de los cuales habían venido al país desde modestas ciudades, con mucha pobreza, tratando de encontrar en América del Sur un lugar de trabajo y progreso.

Conocí en esa iglesia a un modesto hermano, de origen italiano, cuyo trabajo en la iglesia era el de ser "portero". Llamábamos así a la persona que estaba en la puerta del templo, con tratados evangelísticos en la mano, invitando a las personas que pasaban por la vereda, para que entraran a escuchar la Palabra de Dios mientras se desarrollaban las reuniones. Ese era su "ministerio" y lo había tomado con tanto interés y amor que era infaltable a su trabajo.

Este modesto hermano, en su "ministerio" llevó más almas a Cristo que muchos de nosotros. Quizás muchos hubieran pensado que no se sentían capacitados para ese trabajo pues eran torpes aun con el idioma, o hubieran considerado un trabajo muy por debajo de sus pretensiones; sin embargo este hermano había recibido la aprobación de Dios y sus dones eran multiplicados en almas ganadas para Cristo cuando se desempeñaba como un simple "portero". Aunque muchos no se hubieran dado cuenta él era un **fiel mayordomo,** y se sentía inmensamente feliz con su tarea.[1]

2.- Nadie debe estar inactivo en la iglesia.

He notado en muchas iglesias, creyentes que tienen como tarea principal asistir a las reuniones y realizar alguna ofrenda y nada más. Les parece que ya han cumplido con su responsabilidad ante el Señor. Lamentablemente están muy lejos de la realidad. Nadie debe estar inactivo. Todos tienen "algo" que hacer en la obra. La tarea de capacitar a los creyentes y mostrarles que Dios los quiere utilizar aumentando sus capacidades, debe ser uno de los propósitos de la enseñanza de la **mayordomía total** en la iglesia.

Estaba de campaña en una iglesia donde el pastor sentía la necesidad de contar con un líder en el campo de la administración. Era una necesidad imperiosa ya que la iglesia había crecido mucho en los últimos tiempos y necesitaban ordenar los aspectos contables de la iglesia. Se lamentaba de que nadie respondiera al llamado.

Pusimos ese desafío como parte de la campaña y comenzamos a pensar en las distintas personas que podrían colaborar. Yo les decía, necesitamos un empresario de éxito, para que trasmita a la iglesia esa misma sensación de posibilidades. Como yo había sido empresario antes de entrar a trabajar de lleno en la obra del Señor, tenía experiencia en ese sentido.

Fuimos en busca de un hermano que reunía las condiciones deseadas. Le ofrecimos la tarea, pero las rechazó de plano. Le pareció que no podría llevar a cabo las tareas de su negocio y las de la iglesia por falta de tiempo. Conversamos un buen rato, le conté mi experiencia en la vida comercial, le hicimos ver el desafío del Señor, pero no fue suficiente. Se mantenía en su negativa. Luego en otra conversación el Señor puso en nosotros palabras adecuadas y le dijimos: "¿No cree que el Señor tiene capacidad de aumentar y bendecir su tiempo si él ve que usted le está dedicando horas a su Obra? ¿No es Dios poderoso para cuidar su negocio cuando usted está cuidando el de él?" Meditó un rato y nos respondió:

—Si no creyera eso no sería cristiano.

—¿Entonces? —le preguntamos... y él respondió con seguridad:

—¡Acepto!

Le presentamos como candidato para el cargo buscado y la iglesia aprobó el nombramiento.

Meses después me encontré con el pastor y me manifestó la tranquilidad que tenía ahora de saber que un hombre con esa capacidad estaba administrando la iglesia. Al año me encontré con este comerciante de éxito y me dijo: —No sabe cuánto le agradezco su preocupación para que yo me hiciera cargo de ese puesto en la iglesia. Usted no se imagina cómo he crecido espiritualmente y cómo comprendo mejor mis responsabilidades económicas para con la obra.

—¿Y el negocio? —le pregunté, y me respondió:

—¡Mejor que antes!

Había sido **mayordomo** desde que se convirtió al evangelio, pero ahora era un **fiel mayordomo.**[1]

3.- Los dones y talentos se desarrollan o se atrofian.

Esta verdad debemos mostrarla y advertir a nuestros hermanos en la iglesia, que lo que no se desarrolla se atrofia.

• Puede ser el mejor cantor del mundo, pero si no ejercita la voz, no podrá cantar correctamente. Puede ser el mejor violinista, pero si no practica con el instrumento, el público notará su deficiente ejecución.

• Puede ser el mejor deportista, pero si no se entrena, no podrá jugar como lo esperan sus simpatizantes.

• Puede ser el médico que mejor opera a las personas en sus enfermedades del corazón, pero si deja de operar, terminará fracasando.

Podríamos seguir así con cada especialidad, todas serían iguales. Los dones y talentos que Dios ha dado a nuestros creyentes deben desarrollarse, de lo contrario comienzan a atrofiarse y aun cuando luego querramos desarrollarlos, ya no será lo mismo. Es una pena ver en nuestras iglesias tantas personas bien dotadas y que permanecen inactivas. Esto va en contra de la voluntad del Señor, en contra del progreso de la obra y en contra del crecimiento espiritual del creyente.

Necesitamos a través de una **mayordomía total** reconvenir a nuestros hermanos para que reaccionen y sirvan al Señor con todas sus capacidades y hacerles notar que no sólo van a perder sus dones y talentos sino que se pierden las bendiciones que Dios les añadiría al verlos actuar como él espera.

Mucha apatía que notamos en las iglesias, desaparecería con una permanente enseñanza de la **mayordomía total.**[1]

14.- LA MAYORDOMÍA Y EL TIEMPO

"...Todo tiene su tiempo..." Dentro de todos los atributos que Dios nos ha dado existe la capacidad para redimir el tiempo. Este es uno de los grandes secretos que nos aseguran una correcta **administración** de nuestras vidas.

Nuestra sabiduría en la **administración** del tiempo también brindará ayuda a la obra del Señor. Quizás sea una de las dificultades que más tenemos los creyentes, saber **administrar** el tiempo; pero Dios quiere también que en este aspecto seamos buenos **mayordomos.** Sin una adecuada administración del tiempo nos será difícil ser **fieles mayordomos** en los demás aspectos de la vida.

Un conocido refrán dice: "El tiempo es oro". Nosotros podemos ganar el tiempo o perderlo. Deberíamos verlo como al "oro" y de esa forma posiblemente lo cuidaríamos más, o lo aprovecharíamos mejor. La Biblia nos exhorta para que sepamos redimir el tiempo.

Es responsabilidad de la iglesia educar a sus miembros en el manejo de este importante factor de avance en su obra.

BOSQUEJO 14.1.
TÍTULO DEL MENSAJE:
Aprendiendo a redimir el tiempo
Pasaje Bíblico: Colosenses 4:1-6; Eclesiastés 3:1-8

Introducción:

El tiempo ha sido siempre un valor importante de la vida. Puede usarse con sabiduría como puede malgastarse. Se requiere un cuidado especial en el manejo del tiempo. La Biblia habla mucho acerca de la importancia de una sabia **mayordomía** en su utilización.

111

1.- Sabiduría en el uso del tiempo.

a)   Debemos ser prudentes en el uso adecuado del tiempo.

b)   Malgastarlo es demostrar irresponsabilidad.

c)   Necesitamos demandar sabiduría divina para utilizarlo con provecho.

2.- Superando la tiranía del tiempo.

a)   El tiempo ha sido siempre un tirano del ser humano.

b)   Si somos prudentes, el tiempo sobra.

c)   Si somos irresponsables nunca nos alcanzará el tiempo.

3.- El uso del tiempo, demostración de mayordomía.

a)   El tiempo es fundamental en la Obra del Señor.

b)   El tiempo es vital para anunciar el evangelio.

c)   Por eso necesitamos ser buenos **mayordomos** del tiempo.

Conclusión:

Seremos sabios cuando hayamos podido manejar el tiempo obteniendo de él el más amplio provecho. Pidamos a Dios sabiduría para poder hacerlo. Seamos sabios **mayordomos** del tiempo.

BOSQUEJO 14.2.
TÍTULO DEL MENSAJE:
Nuestro tiempo y la obra de Dios
Pasaje Bíblico: Romanos 13:11-14; Efesios 5:15-20

Introducción:

El tiempo es uno de los dones. Su manejo y aprovechamiento significará una ayuda para la obra del Señor. La Palabra del Señor nos advierte en ese sentido.

1.- Importancia del tiempo en la obra del Señor.

a)   El tiempo vuela. No lo podemos retener.

b)   La Obra del Señor requiere acción hoy.

c)   El tiempo es de importancia fundamental para la extensión de la Obra.

2.- Nuestro tiempo vale para Dios si lo sabemos utilizar.

a)   Dios nos ha dado el don precioso del tiempo.

b)   Él desea que lo utilicemos con sabiduría.

c)   Su Palabra nos advierte de la ventaja de saber redimirlo.

3.- No desperdiciemos un don tan precioso.

a)   El tiempo se puede perder.

b)   El tiempo se puede desaprovechar.

c)   El tiempo, don de Dios, no lo debemos perder ni desaprovechar.

Conclusión:

El tiempo, como la correcta **administración** en todos los órdenes de la vida nos demostrará el grado de sabiduría que nuestra **mayordomía** ha alcanzado.

BOSQUEJO 14.3.
TÍTULO DEL MENSAJE:
El tiempo y la mayordomía
Pasaje Bíblico: 2ª Timoteo 4:1-8

Introducción:

El tiempo tiene su límite. De la manera como lo utilicemos podremos cumplir la responsabilidad de llevar el evangelio a los perdidos.

1.- No malgastemos el tiempo.

a)   El refrán dice "el tiempo es oro"

b)   La Palabra de Dios nos exhorta a "redimir" el tiempo.

c)   Vivamos por lo tanto sin malgastarlo.

2.- Aprovechemos el tiempo mientras sea posible.

a)   La Palabra de Dios dice que hay "tiempo para todo".

b) Debemos recordar que nosotros también tenemos "nuestro" tiempo. No somos eternos.

c) Por lo tanto debemos actuar mientras es posible.

3.- Seamos mayordomos sensatos y útiles.

a) Necesitamos tiempo para orar.

b) Necesitamos tiempo para testificar.

c) Necesitamos tiempo para predicar.

d) Necesitamos tiempo para leer la Palabra de Dios, etc. etc.

e) Necesitamos por lo tanto sabiduría para **administrar** nuestro tiempo con provecho.

Conclusión:

La adecuada **mayordomía** de nuestra vida, nos dará sabiduría para administrar el tiempo de modo que podamos hacer todo lo que la Obra del Señor requiera. Vivamos como cristianos siendo ejemplo para los demás.

ILUSTRACIONES Y AYUDAS: Bosquejos 14.1. al 14.3.

1.- ¿Y el tiempo perdido?

Tuve el privilegio de vivir muy de cerca el ministerio pastoral de mi padre. Los hijos de los pastores somos a veces reflejos de muchas cosas que ocurren en la vida de la iglesia. No se puede evitar en el entorno familiar el conocimiento de las cosas que van ocurriendo, sean éstas buenas, o malas. He tenido por norma olvidarme de las malas y retener las buenas.

Me ha gustado siempre ser objetivo y muchas veces en mis predicaciones utilizo los testimonios vividos en el hogar de mis padres porque fueron experiencias sentidas profundamente.

Recuerdo el caso de una persona a quien mi padre le presentó el evangelio durante 38 años. Recién después de ese tiempo aceptó al Señor. Su familia lo había hecho mucho antes, pero el jefe de esa familia permanecía impasible. Su conversión fue notable, pues produjo en él un cambio completo. Recuerdo que cuando me solía encontrar con él, ya sea en el templo o en la calle, siempre me decía: "...bendito sea tu padre que me tuvo misericordia y me habló de Jesús durante 38 años, no sabés lo feliz que soy ahora..." Y era cierto, el hombre cambió de domicilio tres o cuatro veces, yendo a distintas poblaciones, pero a todas ella llegaba mi padre. Fue una grata experiencia pues habla del amor del pastor que no midió el tiempo sino que luchó hasta lograr que esa persona aceptara a Cristo.

Pero hay aquí algunas reflexiones que deseo realizar en cuanto al tiempo:

1.- ¿Qué hubiera pasado si mi padre no le hubiera dedicado a este hombre todo ese **tiempo?** Posiblemente no se hubiera salvado. Fue una inversión sensata del **tiempo.**

2.- El cambio en el hombre fue notable, él mismo hablaba de la felicidad que ahora tenía, pero había perdido demasiado **tiempo.** Podía haber alcanzado esa felicidad 38 años antes. Es cierto, más vale tarde que nunca; pero fue una pérdida insensata del **tiempo.**

Como vemos el tiempo tiene su importancia, y el significado para nosotros será cómo lo aprovechemos.[1]

2.- El tiempo, amigo o enemigo.

Se cuenta que el comandante en jefe de un ejército, momentos antes de la batalla, arengó a los soldados diciendo:

—¡A menos de que matéis al enemigo, el enemigo os matará a vosotros!

Creo que podemos parafrasear esta arenga y decir:

—¡A menos que redimáis el tiempo, el tiempo os dominará a vosotros!

Si no ponemos atención al dominio del tiempo él sin duda alguna nos dominará y no podremos hacer lo que querramos. El tiempo es ahora, no mañana.[2] (adaptado).

3.- La ociosidad ¡mata!

El valor del tiempo se conoce a través de su utilización. No aprovechar el tiempo no tiene sentido y puede llevarnos a la muerte. Se relata la experiencia de un señor que preguntó a su amigo acerca de cuáles fueron las causas de la muerte de su hermano. El hombre respondió:

—Murió de no saber en qué ocupar el tiempo. El hombre que hizo la pregunta reflexionó y dijo: —Esto es bastante para matar, inclusive a cualquiera de nosotros.[2] (adaptado).

15.- LA MAYORDOMÍA Y
EL SERMÓN DEL MONTE

"...Y abriendo su boca les enseñaba..." Pocas enseñanzas de la Biblia son tan claras y precisas como el Sermón del Monte. Allí encontramos reglas para una vida correcta delante de la presencia de nuestro Dios.

Jesús a través de sus lecciones nos ha dejado señalado el camino para ser buenos **mayordomos.** De nosotros depende entonces que aprovechemos sus enseñanzas y podamos así mostrar a Dios que somos correctos administradores de la gracia que nos ha sido dada.

El Sermón de la Montaña sienta las bases para una perfecta vida de convivencia entre los seres humanos y nos muestra el camino para vivir de acuerdo a la voluntad de Dios. Respetar esta enseñanza será una demostración de nuestra capacidad para ser fieles **mayordomos.**

Sabiduría para vivir, aprovechando correctamente los atributos que Dios nos ha dado a través de nuestra **mayordomía.**

BOSQUEJO 15.1.
TÍTULO DEL MENSAJE:
La regla de oro para el buen mayordomo
Pasaje Bíblico: Mateo 7:7-12

Introducción:

Una de las formas de cumplir con nuestra **mayordomía** cristiana es tener la seguridad de que la confianza que hemos depositado en nuestro Dios es positiva. Dios es Dios de amor y misericordia. Esa es nuestra mejor garantía.

1.- El mayordomo y la oración.

a)   Orar es la forma de hablar con Dios.

b)   Orar es la manera de escuchar a Dios.

c)   Nuestra oración debe ser una demostración de fe.

2.- El mayordomo y la confianza en Dios.

a)   Dios siempre atiende nuestras necesidades.

b)   Él nos dará sólo lo que sea para nuestro bienestar.

c)   En eso descansa nuestra seguridad.

3.- El mayordomo y su ejemplo de vida.

a)   La seguridad y confianza en el Dios de poder debe ser nuestra característica.

b)   Esta situación debe darnos a nosotros suficiente garantía de protección.

c)   Por ello nuestro estilo de vida debe ser demostrativo de un espíritu cristiano triunfante.

Conclusión:

Un cristiano debe caracterizarse por su carácter afable y por su buen ánimo. Un **mayordomo** fiel siempre estará mostrando a través de su estilo de vida la seguridad que tiene en el Dios de todo poder.

BOSQUEJO 15.2.
TÍTULO DEL MENSAJE:
Dios y las riquezas
Pasaje Bíblico: Mateo 6:24; Lucas 18:18-30

Introducción:

El materialismo del mundo ha desvirtuado los buenos modales y los correctos procederes. La frase "Cuánto tienes, cuánto vales" muestra claramente hacia dónde va la mentalidad humana. Siempre estará buscando en las riquezas la solución a sus problemas. Jesús tiene otro enfoque y lo confirma con argumentos.

1.- No se puede servir a dos señores.

a)   Dificultad en servir a dos patrones a la vez. Alguno tendrá la preferencia.

b)   Máxime si la posición de ambos es tan opuesta.

c)   Las riquezas de este mundo, puestas en nuestro corazón por sobre el concepto que tenemos de Dios, crea problemas.

d)   Debemos ser ricos en Dios y no ricos sin Dios.

2.- El ejemplo del joven rico.

a)   Su situación material era cómoda. Aparentemente tenía de todo.

b)   Su vida espiritual anhelaba algo mejor. No se sentía completamente satisfecho.

c)   Pero su elección fue equivocada. Eligió lo pasajero por sobre lo eterno.

d)   Lo único que tenía que hacer era poner a Dios por sobre sus riquezas. Hubiera sido verdaderamente feliz.

3.- Seamos ricos en Dios.

a)   La riqueza para Dios no era problema. El problema era que las riquezas para el joven rico eran su "dios".

b)   Si el joven rico hubiera puesto su confianza en Dios en vez de las riquezas, hubiera sido más rico aún.

c)   Cuando tenemos a Dios con nosotros es mayor garantía que ser ricos sin Dios.

d)   Las riquezas en gloria que Dios promete son superiores a las riquezas humanas.

Conclusión:

Para los hombres del mundo comprender esta verdad es muy difícil. Su mente y su voluntad están detrás de las riquezas, pero no se dan cuenta que son posesiones temporales. El verdadero **mayordomo** pone su confianza en Dios y vive seguro de su protección. Si Dios quiere que él sea rico lo hará, pero entonces sus riquezas estarán al servicio del reino de los cielos y no se convertirán en su "dios".

BOSQUEJO 15.3.
TÍTULO DEL MENSAJE:
El afán y la ansiedad
Pasaje Bíblico: Mateo 6:25-34

Introducción:

Con cuanta desesperación está viviendo el mundo sus horas. Todos corren, todos viven agitados, a todos les falta el tiempo. Jesús se levanta y dice ¡cuán equivocados están! ¡escuchen mi consejo!

1.- No se preocupen demasiado por lo vuestro.

a)   No se afanen por los problemas de cada día.

b)   Confien en aquél que es vuestro creador.

c)   Sepan que vuestro Dios está cuidando de ustedes.

2.- Observen la obra de la naturaleza.

a)   ¿No ven los pájaros? ¿No ven las flores? ¿Pueden ustedes superar su hermosura?

b)   ¿Alguno de ustedes se ocupa de que los pájaron tengan alimentos? ¿Alguno da color a las flores?

c)   ¿Son acaso ustedes menos que los pájaros y las flores? ¿No va a cuidar Dios a ustedes también?

3.- Pongan vuestra fe en Dios, como fieles mayordomos.

a)   Entonces, ¿por qué se preocupan? ¿Por qué se desesperan?

b)   Afirmen vuestra confianza en Dios. Vivan de victoria en victoria.

c)   Sean buenos **mayordomos,** vivan triunfantes confiando en Dios.

Conclusión:

¡Qué bueno es tener un Dios tan responsable que se preocupa de nosotros como de la naturaleza! Esta es la garantía de todo creyente. Seamos fieles **mayordomos** de Dios demostrando así nuestra confianza en Dios a través de nuestro comportamiento cristiano.

ILUSTRACIONES Y AYUDAS: Bosquejos 15.1. al 15.3.

1.- La confianza de los pájaros.

Dos pajaritos estaban sobre una rama contemplando el agitado trajín de las gentes yendo de un lado para otro. Parecían seres enloquecidos, buscando cada uno la propia solución a su problema. Coléricos, gritando, desesperados. Cada uno buscando su propia conveniencia. Daban muestras de inseguridad y faltos de protección.

Uno de los pajaritos le pregunta al otro:

—¿Por qué será que los seres humanos viven de esa forma? El otro pajarito le responde:

—¡Será porque no tienen a un Dios que los cuida...!

Cuánta verdad en este relato ficción. Los pájaros van a todos lados despreocupados, pues el Dios que los creó les provee comida, agua, y lugares para recrearse y guarecerse. Los hombres, como han olvidado e ignorado a Dios, quieren hacerlo todo por su cuenta y por eso viven en desesperación.[1]

2.- El apóstol Pablo nos ha dejado enseñanzas positivas.

En muchos pasajes de sus epístolas, Pablo trata el tema de la seguridad que el cristiano debe tener en Dios. Por ejemplo, cuando escribe a los Romanos, cap. 8 vv. 32 dice *"..el que no escatimó ni a su propio Hijo, sino que lo entregó por todos nosotros, ¿cómo no nos dará también con él todas las cosas?..."* El argumento de Pablo es que si Dios nos ha dado lo más importante, la vida de su propio Hijo, [que es lo supremo para todo ser humano] ¿cómo no nos va dar las cosas secundarias? Su argumento es lógico y nosotros tenemos que aprender a darnos cuenta que Dios es hacedor de todo y puede socorrernos en el momento oportuno.

También cuando habla de la manera como Dios puede recompensarnos, nos advierte que Dios no lo hace como los hombres, sino que Dios es poderoso para darnos su ayuda desde sus tesoros muy por encima de lo que cualquier ser humano pueda pretender. Veamos su argumentación en la carta a los Filipenses. Cap. 4, vv. 19 "...*Mi Dios, pues, suplirá* **todo** *lo que os falta conforme sus* **riquesas en gloria** *en Cristo Jesús...*" ¿Podemos pretender más?[1]

3.- Jesús garantía de protección.

El mismo señor Jesús, cuando está hablando del afán y la ansiedad [graves problemas humanos], al finalizar dice: "...*Mas buscad primeramente el reino de Dios y su justicia, y todas estas cosas os serán añadidas...*" Mateo 6:33.

Debemos notar que no está diciendo que por ocuparnos de su reino sólo tendremos problemas, sino que por el hecho de ocuparnos de sus asuntos en la tierra, él se preocupará de que todas las demás cosas nos sean dadas por añadidura. En palabras más populares, nos está diciendo, "ocúpense de mis asuntos y dejen que yo me encargue de las necesidades de ustedes. Déjenme hacer algo..."

Ocurre que nosotros, preocupados por nuestras necesidades, descuidamos las cosas del Señor y entonces él no nos puede ayudar como quisiera. ¡Es tan sencillo todo! ¡Cómo lo complicamos nosotros! Nuestra preocupación debe ser atender el reino del Señor aquí en la tierra, donde estamos, y dejarle a él el gozo de servirnos dándonos todo lo que necesitamos.[1]

16.- LA MAYORDOMÍA Y LA GRACIA DE DAR

"Más bienaventurada cosa es dar que recibir". Hasta que esta experiencia no sea realidad en la vida del creyente, no podrá disfrutar de la vida abundante que Cristo ha prometido.

"Un corazón egoísta ama por lo que puede recibir". Este es el deseo del avaro.

"Un corazón cristiano ama por lo que puede dar". Esta es la experiencia en la gracia de dar.

La gracia de dar es una de las bendiciones más grandes del Nuevo Testamento. Dios dio, Jesús dio, los discípulos dieron, los primeros cristianos dieron, los mártires de la fe dieron, los misioneros dieron, quienes nos precedieron dieron, por lo tanto nuestro imperativo es dar. Dando nos renovamos, dando sentimos gozo, dando experimentamos el amor al prójimo, dando aprendemos a vivir como cristianos.

Cuando el creyente da, le permite a Dios que le siga añadiendo bendiciones. Cuando no damos, seguimos "llenos" y Dios —aunque quiere— no puede añadir nada. Por eso muchos creyentes no alcanzan a vivir la plenitud en Cristo, por su falta de predisposición a crecer en la gracia de dar.

Aprendamos a vivir en plenitud. Necesitamos aquí una enseñanza clara de la **mayordomía** cristiana de forma tal que nuestros hermanos puedan crecer en esta maravillosa gracia. La gracia de dar.

BOSQUEJO 16.1.
TÍTULO DEL MENSAJE:
Más bienaventurada cosa es dar que recibir
Pasaje Bíblico: Hechos 20:35

Introducción:

La ansiedad humana tiende siempre a sentir gozo cuando recibe. Jesús nos enseña que hay otra forma de considerar el gozo. Es a través de dar. No todos pueden pensar igual.

1.- Parece un contrasentido.

a)   A simple vista parecería algo fuera de lugar. ¿Sentir gozo porque doy?

b)   Por lo contrario, me pongo alegre cuando me dan algo. Me gusta que me regalen.

c)   Me acuerdo de Navidad, del día de Reyes, de mi cumpleaños.

2.- Pero es una hermosa realidad.

a)   Sin embargo hay una satisfacción tremenda en el dar.

b)   Para ello debemos estar imbuidos del espíritu cristiano.

c)   Cuando recibo es porque necesito. Cuando doy es porque tengo.

3.- La gracia de dar nos convierte en fieles mayordomos.

a)   Por la gracia de dar servimos a nuestro prójimo.

b)   Por la gracia de dar servimos a la Iglesia.

c)   Por la gracia de dar servimos al Señor.

Conclusión:

Cuando el creyente ha llegado a entender que más bienaventurada cosa es dar que recibir, ha comenzado a crecer en la gracia de dar. Debemos animar a nuestros hermanos a practicar esta gracia. Al crecer en la gracia de dar, estamos apoyando la obra del Señor con nuestros dones, talentos, tiempo, capacidades y **bienes**. Le damos además la oportunidad de que el Señor nos bendiga: a) dándonos gozo en el dar, b) añadiendo nuevas bendiciones a nuestras vidas. Si no enseñamos esto, jamás nuestros creyentes serán fieles **mayordomos** y nosotros les estaremos privando de crecer en esta maravillosa gracia. 2ª Corintios 8:7.

BOSQUEJO 16.2.
TITULO DEL MENSAJE:
La maravillosa gracia de dar
Pasaje Bíblico: 2ª Corintios 8:1-9

Introducción:

¿Qué tan pudiente debo ser para participar en la gracia de dar? ¿Pueden los pobres tener el privilegio de sentirse bienaventurados por participar de esta gracia? ¿Es sólo un privilegio de la clase media y de los ricos? Podemos contestar estos interrogantes con la Palabra de Dios.

1.- Un ejemplo que sorprende.

a) Un pueblo tremendamente pobre. De "profunda pobreza". En medio de tribulaciones.

b) Un pueblo al cual habría que ayudarle económicamente en lugar de pedirle una ofrenda.

c) Sin embargo su respuesta es notable. Responde a todos los interrogantes y sorprende por su generosidad.

2.- De pobres a ricos por la gracia de dar.

a) Superaron todo cálculo humano. Sorprendieron al mismo apóstol Pablo.

b) Se hubieran enojado si no les daban el privilegio de participar.

c) Todos creían que eran pobres y resultaron ser "ricos".

3.- La mayordomía de sus vidas lo hizo posible.

a) ¿Cómo pudo ser? ¿Cuál fue la razón de una respuesta tan sorprendente?

b) El gran secreto fue que se dieron primeramente al Señor.

c) Priorizaron la necesidad de la Obra del Señor por sobre sus propias necesidades.

Conclusión:

¡Qué tremendo ejemplo! A veces nosotros llenos de todas las bendiciones del Señor dudamos en contribuir para la Obra de Dios. Anteponemos delante de Él nuestras propias necesidades y no atendemos como es debido las necesidades de la Obra. El ejemplo de los macedonios debe servirnos de estímulo para que nosotros aprendamos a ser fieles **mayordomos** del Señor.

BOSQUEJO 16.3.
TÍTULO DEL MENSAJE:
El mayordomo fiel y la gracia de dar
Pasaje Bíblico: Lucas 6:38; 2ª Corintios 8:11-15 y 9:8

Introducción:

La medida para recibir está en relación directa con la medida como damos. Algunos solamente pretenden recibir y no se dan cuenta del privilegio de dar. Desarrollar a los creyentes en la gracia de dar es un imperativo permanente de la Obra del Señor.

1.- Dar, tarea del fiel mayordomo.

a) El fiel **mayordomo** necesita crecer en la gracia de dar.

b) El fiel **mayordomo** debe vivir deseando dar.

c) El fiel **mayordomo** se goza en dar.

2.- Dar, condición para recibir.

a) No tiene menos el que da.

b) No tiene más el que recibe.

c) Dios nivela la necesidad de uno con la abundancia del otro. Todos iguales.

3.- Dios da abundantemente.

a)   La medida de Dios siempre es generosa. Sobreabunda.

b)   Nosotros debemos imitarle. Debemos ser generosos en el dar.

c)   Sus bendiciones siempre sobreabundan para toda buena obra. Más de lo que necesitamos.

Conclusión:

Como fieles **mayordomos** hemos de recordar que las recompensas del Señor estarán en forma directa a cómo estemos obrando. *"... porque con la misma medida que medís, os volverán a medir..."* Esto debe llevarnos a procurar ser siempre generosos en nuestra manera de dar. Debe ser una alegría permanente servir al Señor a través de la gracia de dar.

ILUSTRACIONES Y AYUDAS: Bosquejos 16.1 al 16.3.

1.- Los pobres nos dan el ejemplo.

En la Argentina hay una obra evangélica entre los indios Tobas, ubicado en una provincia al norte del país. Como en la mayoría de los países, aún los consideramos "indios", cuando en realidad son tan argentinos o más que cualquiera de los que habitan este país. No han podido gozar de cuidados y educación como correspondería, la sociedad está en deuda con ellos.

En esa obra entre nuestros hermanos Tobas se procuró junto con la predicación del evangelio, orientar la vida de ellos hacia la propia subsistencia. Por ejemplo, a algunos se les enseñó a tener una huerta, otros a hacer ladrillos, otros a criar pollos, otros a desarrollar alguna artesanía. De esa manera pueden obtener su sustento sin depender de la explotación de sus semejantes. Muchos de ellos forman una hermosa comunidad cristiana.

En una oportunidad fueron visitados por un misionero de nuestra obra nacional. En uno de los cultos, que este hermano presidió, tuvieron el desafío de diezmar. Quizás alguien estará pensando, ¿pero a esta gente pobre enseñarle a diezmar?, ¡si más bien que pedirles tendríamos que darles ayuda! Sin embargo, no es así; si diezmar es una bendición para el creyente, ¿por qué no darles a ellos también ese privilegio?

Asistió a esa reunión un matrimonio Toba. El esposo entendía el castellano, pero su esposa no [ellos tienen su propio idioma]. Cuando llegaron de regreso a su casa, la señora le preguntó al marido:

—¿Qué dijo el predicador? Entonces él, en palabras propias de su idioma le explicó que Dios se gozaba cuando nosotros dábamos el diezmo y que Dios tiene muchas bendiciones para quien así lo hace. La esposa reaccionó de inmediato y le dijo al marido:

—Mira, nosotros criamos pollos, así que yo sé lo que voy a hacer de ahora en adelante. Cada diez pollitos que nazcan, a uno le ataré un hilo colorado en la patita y ese pollo lo criaremos para el Señor.

¡Qué notable respuesta! ¡En realidad nos avergüenza!

Durante el año, ese matrimonio llevó muchos pollos al templo como ofrenda de sus diezmos al Señor. Es cierto, ellos tenían muchas necesidades que cubrir, pero habían puesto la confianza en las bendiciones del Señor. Además, ¿quién les quita el gozo de saber que estaban contribuyendo para la obra de aquel Dios que les rescató, aún en su pobreza, para que tuvieran una vida activa con el Señor y sus prójimos y experimentaran la gracia de dar? ¡El Dios que aunque fueran "indios" se apiadó de ellos![1]

2.- Si no damos, Dios no puede seguir dándonos.

Siempre he imaginado que las bendiciones de Dios son como un recipiente lleno. Él siempre nos colma de bendiciones. ¿Pero qué pasa si de ese recipiente yo no saco para dar a otros? ¡El recipiente sigue lleno! Yo puedo jactarme de las bendiciones que Dios me dio, pero al no sacar para dar, sin darme cuenta estoy privándole a Dios de que pueda darme más bendiciones, pues el recipiente está lleno y Dios no, aunque quiere, no puede darme más.

En cambio si yo permanentemente saco y doy, no sólo disfruto de la gracia de dar, sino que también posibilito que Dios pueda seguir dándome bendiciones pues en el recipiente siempre hay lugar. Yo doy y gozo, luego Dios me da más y yo sigo gozando por recibir más y a la vez porque puedo dar más.

Muchas veces nos encontramos con cristianos que parecen "secos", sin vida espiritual y sin gozo. ¿No será por que no han experimentado la gracia de dar?[1]

3.- Eran pobres y lo siguen siendo.

Recuerdo experiencias de mi juventud. Había en la iglesia hermanos que al igual que yo estábamos experimentando el gozo de dar, y cada día queríamos dar más. En cambio otros eran lo contrario, daban poco y cada día hubieran querido dar menos.

Al pasar los años y mirando hacia atrás he podido ver a quienes tenían el gozo de dar, avanzar en la vida espiritual y ubicarse cada día mejor en la vida material. Los otros, los que mezquinaban contribuir, habían quedado lejos, no habían avanzado. Seguían siendo tan pobres como antes, tanto en lo espiritual como en lo económico. Eran pobres en todo sentido.

La gracia de dar es una de las más maravillosas gracias para el creyente. Crecer en ella es crecer en la vida espiritual y experimentar las bendiciones del Señor como una realidad.[1]

17.- LA MAYORDOMÍA Y LAS RIQUEZAS

"...No podéis servir a Dios y a las riquezas..." No es rico quien más tiene, sino el que se conforma con lo que tiene y lo utiilza para servir a los demás. La vida nos ha enseñado muchas veces que los que mucho tienen no son felices como quisieran. El dinero no puede comprar la felicidad. "Se puede comprar la cama pero no se puede comprar el sueño".

Sin embargo un rico puede llegar a ser feliz. ¿Cuál es el secreto? Cuando ha aprendido a vivir bajo el señorío de Cristo.

El Nuevo Testamento nos habla de riquezas que Dios nos promete. "Riquezas de su gloria" para todos los creyentes que aprendan a vivir de acuerdo a la voluntad de Dios. Por eso en el cristianismo tenemos creyentes pobres inmensamente "ricos", que contrastan con los ricos del "mundo" que a veces son inmensamente "pobres".

En la vida de la iglesia hemos podido comprobar también que hay ricos inmensamente "ricos", pues han aprendido a utilizar las riquezas que Dios les ha dado para bien de su prójimo y para la extensión del evangelio de Jesucristo. Son los que han alcanzado a comprender el secreto de la vida en Cristo.

BOSQUEJO 17.1.
TÍTULO DEL MENSAJE:
La riqueza y el mayordomo fiel
Pasaje Bíblico: Mateo 6:24; Lucas 12:41-48;
1ª Timoteo 6:10

Introducción:

Jesús se ocupó de mencionar muchas veces la reponsabilidad del **mayordomo** fiel. Le anticipó elogios cuando obrara fielmente y le mencionó castigos ante la falta de un cumplimiento correcto. En el relato que Jesús hace nos vemos reflejados muchos de nosotros, ya sea por ser fieles **mayordomos** o por ser malos administradores.

1.- Un fiel mayordomo es rico en el Señor.

a)   La riqueza proviene de una vida identificada con Jesucristo.

b)   La riqueza no consiste sólo en dinero. Ser rico en Dios es mucho más que ser rico en bienes.

c)   El fiel mayordomo ha sabido reconocer la verdadera riqueza.

2.- Un fiel mayordomo puede ser rico también en dinero.

a)   Dios no está en contra de la riqueza. Está en contra de poner la riquezas en lugar de Dios.

b)   Muchos cristianos ricos han sabido utilizar sus bienes para la causa de Cristo.

c)   La sabiduría está en no dejarse llevar por la atracción de la riqueza.

3.- Un fiel mayordomo sabe vivir en la gracia de dar.

a)   Descubre que es más bienaventurado dar que recibir.

b)   Ha aprendido que no tiene más el que recibe que el que da.

c)   Sabe que dando recibe y se esfuerza por dar cada vez más.

Conclusión:

Crecer en la gracia de dar es el deleite de todo **mayordomo** fiel. Dios le da una sabiduría especial para vivir sabiendo diferenciar entre las riquezas terrenales y las que perduran. Es un inversor en el banco del cielo.

BOSQUEJO 17.2.
TÍTULO DEL MENSAJE:
Las riquezas y la vida espiritual
Pasaje Bíblico: Lucas 12:13-21

Introducción:

La vida espiritual tiene mucha relación con las riquezas. Si las riquezas ocupan el primer lugar en nuestra vida, nuestra vida espiritual es pobre. Si por el contrario las riquezas no nos desvelan, nuestra vida espiritual es rica.

1.- Un cristiano rico, doblemente rico.

a) Cuando Dios está primero en nuestra vida somos ricos aun sin dinero.

b) Cuando Dios está primero en nuestras vidas y somos adinerados, somos doblemente ricos.

c) El secreto está en mantener siempre a Dios en primer lugar sea cual fuere nuestra condición económica.

2.- El error del hombre rico.

a) Pretendió tener más, sólo para su deleite.

b) No pensó en tener más para compartir con el prójimo.

c) Su egoísmo y el no recordar que no somos eternos lo perdió.

3.- Dios en primer lugar.

a) Por ello debemos repetir: Dios en primer lugar, luego las riquezas si es que existen.

b) Al tener a Dios en primer lugar y siendo ricos, siempre usaremos esa riqueza en favor de los demás y la Obra del Señor. Dios da sabiduría y entendimiento.

c) Si Dios está primero en nuestra vida sus bendiciones serán siempre una grata experiencia.

Conclusión:

Como **mayordomos** de Dios debemos procurar que las riquezas sean administradas bajo el señorío de Cristo. Esto garantizará que siempre serán una bendición para nosotros. De otra forma pueden convertirse en una maldición.

BOSQUEJO 17.3.
TÍTULO DEL MENSAJE:
La riqueza y la obra misionera
Pasaje Bíblico: Mateo 28:18-20; 1ª Tesalonicenses 1:2-10

Introducción:

La obra misionera, aparte de hombres y mujeres dispuestas a ir como misioneros, necesita de abundante dinero para el sostén de todo el programa de misiones. Por eso débemos también ser buenos **mayordomos** de las riquezas para que sean destinadas para las misiones.

1.- La Gran Comisión, un gran desafío económico.

a) No sólo seres humanos, sino también bienes son necesarios para las misiones.

b) Hay seres que han puesto sus empresas o parte de sus ganancias para servir a la obra misionera.

c) Otros seres, sin ser ricos, han dado con sacrificio para la obra misionera y su esfuerzo ha sido bendecido por el Señor.

2.- La iglesia de Tesalónica nos da el ejemplo.

a) Una iglesia modesta, pero con gran espíritu misionero.

b) Todos se dieron a la tarea de extender el evangelio, sin ayuda externa.

c) Lo hicieron tan bien, que el apóstol Pablo les felicita y reconoce el tremendo esfuerzo realizado. Cuando hay amor al Señor, dones, talentos, tiempo, conocimientos, capacidades y bienes son puestas a su servicio sin retaceos.

3.- Dios nos dará riquezas, si somos capaces de ofrendarlas para la obra misionera.

a)   Si Dios necesita que la iglesia cuente con recursos económicos para la obra misionera los pondrá en nuestros bolsillos para que seamos fieles **mayordomos** y los traslademos a la iglesia.

b)   Dios nunca pondrá dinero en nuestros bolsillos si sabe que nosotros no seremos fieles **mayordomos.**

c)   No detengamos la obra misionera. Seamos instrumentos en las manos de Dios para que las misiones tengan todo lo que necesitan.

Conclusión:

Dios quiere que su obra progrese. De la garantía que le demos al Señor acerca de nuestra **mayordomía** serán las bendiciones a recibir. Tengamos el gozo de ver que el Señor se complace con nuestro comportamiento y démosle así oportunidad para que seamos bendecidos para bendición.

ILUSTRACIONES Y AYUDA: Bosquejos 17.1 al 17.3.

1.- Un gran privilegio.

Desde pequeño me he interesado por leer libros y relatos de los grandes hombres de Dios que supieron compartir sus riquezas con la obra del Señor. Era un sueño para mí poder hacer algo igual en mi país, para demostrar que Dios es poderoso para ayudar a quienes están dispuestos a ser **fieles mayordomos**. Más adelante compartiré mi experiencia personal, pero ahora quiero referirme a la satisfacción que tuve de conocer a uno de los hombres que en mi tiempo estaban siendo utilizados por el Señor para ayudar a las iglesias; me refiero al industrial norteamericano dueño de la cadena de negocios Jarman.

Este hermano que conocí, era hijo de un pionero de la obra en los Estados Unidos, que había iniciado sus negocios siendo socio con el Señor. De simple zapatero, Dios le llevó a desarrollar una importante empresa de zapatos. Su hijo continuó con el esfuerzo y llevó a aquella zapatería, famosa hoy en todo el mundo, a negocios más completos utilizando el lema "Jarman lo viste de pies a cabeza".

¿Cuál fue la contribución que esta empresa realizó en el mundo evangélico? Aparte de otras contribuciones, las que pude comprobar fue la de sumistrar dinero suficiente para que las grandes iglesias de las ciudades importantes de cada país pudieran edificar un nuevo templo. En Argentina, varias iglesias fueron beneficiadas en las ciudades de Buenos Aires, Rosario, Mendoza y Paraná. También he visto templos en otros países levantados con la misma contribución. Los templos son hoy un testimonio vivo de lo que Dios puede hacer cuando los hombres de este mundo se asocian con él para emprender grandes empresas evangélicas en el mundo, para ayudar a su obra. ¡Cuánto se podría hacer para el Señor si más personas entendieran esta verdad! Este fiel hermano no sólo cooperaba económicamente, sino que en forma personal ocupaba el puesto de maestro de adultos, en la Escuela Dominical de una importante iglesia Bautista en la ciudad de Dallas.[1]

2.- Socio con Dios, el gran negocio.

Una historia que me conmovió también en mi juventud, fue la del joven Colgate. Vivía modestamente con sus padres en el interior de los Estados Unidos y decidió ir a la gran ciudad para tratar de obtener un mejor nivel de vida. Al despedirse de sus padres, su madre le dijo:

—Hijo, no tengo mucho para darte, pero quiero que lleves esta Biblia y acudas a ella en busca de ayuda e inspiración cada vez que lo necesites.

El joven tomó aquella Biblia y la colocó en su baúl.

Llegó a la gran ciudad y comenzó a trabajar en una fábrica de jabón, pero tuvo poca suerte ya que la fábrica quebró luego de un tiempo. En ese momento se sintió solo en la gran ciudad, sin trabajo, y sin mayores conocidos, comenzó a preocuparse. En esa condición se acordó del consejo de su madre y buscó la Biblia que ella le había dado. Comenzó a leerla y descubrió la gran verdad. Tomó ánimo y con lo que había aprendido en la fábrica, comenzó por su cuenta a fabricar jabón, bajo el sello de Colgate y Compañía.

Su progreso fue tan notable que todos ponderaban a la "compañía" de Colgate. Decían, "debe ser un hombre inteligente pues le ha ayudado a progresar tremendamente". Era tanto el interés de las personas por conocer al socio, que Colgate invitó a sus clientes a un almuerzo y les prometió en esa oportunidad presentarles a su socio.

Deseosos de conocer al socio, ningún cliente faltó a la cita. Luego de la comida, Colgate se puso de pie y dijo: —Ahora voy a presentarles a mi socio. En ese momento hizo correr un telón sobre su cabeza que decía: **"Dios es mi socio, con él comparto 50% de mis utilidades"**. Fue una verdadera sorpresa. Colgate había descubierto en la Biblia las promesas de Dios y se había aferrado a ellas y Dios no le había fallado. Esta Sociedad fue la predecesora de una conocida firma, mundialmente famosa.[1]

18.- LA MAYORDOMÍA Y LA POBREZA

"...Y su profunda pobreza, abundaron en riquezas de generosidad..." ¿Debemos hablarle de mayordomía a los pobres? ¿No será que en cambio debemos auxiliarlos económicamente? Muchas veces me han hecho esta pregunta. En todos los casos mi respuesta fue igual. "Así como el pobre necesita del evangelio de Jesucristo, pues es el único camino para que pueda salir de la postración en que se encuentra, también el creyente pobre necesita ser desarrollado en la **mayordomía** cristiana para crecer en la gracia de dar".

La vida nos ha enseñado por experiencia que muchos "pobres" tienen enormes riquezas en Cristo. Muchas veces las personas pobres nos han sorprendido con ofrendas más que generosas. Es que cuando Cristo llega a nuestros corazones "todo" lo transforma.

Debemos recordar que la ofrenda no la debemos medir en cantidad, sino en proporción directa a lo recibido. Por eso a veces lo "poco" de algunos es más que lo "mucho" de otros. Necesitamos sabiduría en la **mayordomía** de nuestra vida.

BOSQUEJO 18.1.
TÍTULO DEL MENSAJE:
Pobres para el mundo, ricos para Dios
Pasaje Bíblico: 2ª Corintios 8:1-5

Introducción:

¿Debemos tomar ofrenda a los pobres? ¿No son ellos destinatarios de nuestra beneficencia? ¿Quién es pobre según la Palabra de Dios?

1.- El gran dilema del apóstol Pablo.

a) ¿No eran los macedonios demasiado pobres y estaban en pruebas de tribulación?

b) ¿No se ofenderían si se les pidiera ayuda para los hermanos que estaban en Jerusalen?

c) ¿Cómo podía el apóstol Pablo determinar quién era verdaderamente pobre?

d) ¿No somos todos los creyentes ricos en Dios?

2.- ¿Cómo respondería a la ofrenda un pueblo pobre?

a) Pese a las circunstancias el apóstol Pablo lanza el desafío.

b) Como era de esperar no tenía demasiadas esperanzas.

c) Quizás lo hizo como para "cumplir".

d) De un pueblo pobre sólo puede salir pobreza.

3.- La gran sorpresa del apóstol Pablo.

a) Menos mal que les dio la oportunidad de ofrendar; de lo contrario se hubieran ofendido.

b) Consideraron un privilegio participar en la ofrenda. Se lo pidieron con muchos ruegos.

c) ¡Dieron más allá de lo esperado! ¡Fue una sorpresa para todos!

d) La pobreza no es impedimento para ofrendar cuando se es rico en Dios.

Conclusión:

Fue tal el impacto en el apóstol Pablo y sus compañeros que se vieron obligados a compartir esta experiencia con otros pueblos ricos, para que no fueran a ser menos que ellos. Qué hermoso ejemplo. No siempre los ricos son los que dan más.

BOSQUEJO 18.2
TÍTULO DEL MENSAJE:
Ni pobreza ni riqueza
Pasaje Bíblico: Proverbios 30:7-9; 2ª Corintios 9:8-11

Introducción:

¿Cuál debe ser nuestra preocupación en cuanto a las riquezas? ¿Cuál ha de ser el juicio correcto que nos permita estar tranquilos en la vida y ante Dios? ¿Qué dice la Palabra de Dios sobre esto?

1. Afanes que nos perjudican.

a) El materialismo es un mal que puede alejarnos de Dios.

b) Pretender lo que otros tienen puede ser pecado.

c) ¿Cuál ha de ser la medida adecuada de nuestros afanes?

2.- Ni mucho, ni poco, lo necesario.

a) Proverbios nos da la respuesta "...ni mucho, ni poco, lo necesario..."

b) Lo mucho, puede alejarnos de Dios por autosuficiencia.

c) Lo poco, puede llevarnos a pecar.

d) Lo exactamente necesario es lo correcto.

3.- El mayordomo fiel vive de acuerdo la voluntad de Dios.

a) Dios puede añadir a lo suficiente, algo más, siempre que ese algo más no nos perjudique.

b) La sabiduría está en aprender a depender de Dios.

c) Un buen **mayordomo** siempre vivirá de acuerdo a la voluntad de Dios.

d) Su secreto será administrar su vida bajo el señorío de Cristo.

Conclusión:

Vivimos en un mundo caracterizado por el materialismo salvaje. Al cristiano le cuesta soportar la presión que lo rodea. Se necesita un buen desarrollo de nuestra **mayordomía** para poder ubicarnos en la voluntad de Dios y reconocer que Él es nuestro proveedor, nuestro sustentador y que siempre nos dará lo necesario.

BOSQUEJO 18.3
TÍTULO DEL MENSAJE:
¿Demasiado pobre para ofrendar?
Pasaje Bíblico: Lucas 21:1-4; 2ª Corintios 8:1-5

Introducción:

Muchas veces se nos censura cuando procuramos que los pobres también participen de la ofrenda. Muchos piensan que sólo los ricos deben ofrendar. Jesús destaca con claridad que una mujer pobre ha ofrendado más que los ricos.

1.- ¿Debemos pedir ofrendas a los creyentes pobres?

a) Contra toda otra opinión debemos decir sí.

b) Cada uno es responsable de ofrendar según Dios lo haya prosperado.

c) Ante Dios todos somos iguales. Todos tienen la misma responsabilidad.

2.- El apóstol Pablo tuvo su experiencia.

a) Demandar ofrenda de un creyente pobre fue un dilema para el apóstol Pablo.

b) Pero tuvo una grata experiencia con los pobres de Macedonia.

c) Aprendió que no hay pobres en la iglesia cuando el creyente es rico en Dios.

3.- Para los pobres, ofrendar es un privilegio.

a) Demandar ofrenda de un creyente pobre no es ofenderlo, es privilegiarlo.

b) El dinero para la Obra de Dios, no siempre ha venido de los creyentes ricos.

c) Los pobres siempre han podido ofrendar con sacrificio.

Conclusión:

Si enseñamos bien el sentido que la **mayordomía** tiene en la vida de los creyentes, nunca habrá en la iglesia miembros pobres; todos serán "ricos" en Dios y eso nos asegurará ofrendas dignas, de acuerdo al progreso de cada uno. Se beneficiará la Obra del Señor y la vida del creyente gozará de bendiciones.

ILUSTRACIONES Y AYUDAS: Bosquejos 18.1 al 18.3.

1.- Una mujer pobre, ejemplo en una ofrenda.

Se estaba desarrollando en una ciudad del interior de México una campaña de **mayordomía**. Era el día establecido para recoger una ofrenda especial, cuyo destino era cubrir los gastos de un templo en un anexo de la iglesia ubicado en una de las colonias [barrios] de la ciudad.

Había concluido el mensaje del pastor y se lanzaba el desafío. Frente al púlpito se había colocado un lugar especial para recibir las ofrendas, cada uno debía pasar al frente y depositar allí su contribución. Se hizo un silencio sepulcral, nadie se movía, nadie pasaba al frente, hasta que una anciana pobre, que trabajaba de sirvienta, pasó al frente con todo lo que había ganado esa semana y lo entregó como ofrenda; sin importarle si a la semana siguiente tendría o no dinero para atender sus necesidades mínimas.

Esa fue "la gota que colmó el vaso"... comenzaron todos a levantarse y cada uno entregaba su ofrenda. Hubo personas que entregaron sus relojes, joyas, otros firmaron cheques, etc. La ofrenda superó ampliamente las necesidades, el ejemplo de la anciana pobre los conmovió a todos.

Un creyente que ya había entregado su ofrenda, tenía en el bolsillo otros u$s30.- destinados a pagar una cuenta el día lunes. Sintió que el Espíritu le decía dame esos u$s30.-

—¡No! respondió él, es dinero que hemos apartado con mi esposa para pagar esa deuda y no queremos quedar mal. Debemos cuidar el testimonio cristiano.

—¡Dáme ese dinero! —volvió a escuchar... al final fue y ofrendó esos u$30.- también, pensando:

—¡El lunes Dios dirá!

Ese lunes el joven daba testimonio diciendo, yo tenía para ese día, más de los u$s30.- que debía pagar... y repetía: ¡Qué bueno es confiar en un Dios que todo lo puede! No sólo me proveyó dinero para pagar la cuenta, sino que me dio el gozo de realizar una ofrenda mayor para su obra.[1]

2.- "Dios proveerá".

Un pastor de una ciudad de Mexico relataba una vez su experiencia sobre la provisión de Dios para con sus hijos. Era un día viernes y con su esposa habían constatado que le quedaban únicamente suficientes víveres hasta el día lunes, cuando cobraría y podría ir al mercado a abastecerse.

Ocurre que esa noche los jóvenes de la iglesia vinieron a su casa y estuvieron mucho tiempo conversando y haciendo planes, de manera que había llegado la hora de la cena y los muchachos y chicas estaban todavía allí. El pastor llamó a su esposa para que preparara de comer para todos. La señora lo miró y le hizo seña como que con eso se iría toda la disponibilidad de víveres y hasta el lunes no tenían posibilidades de comprar más. El pastor le hizo también señas como que continuara adelante. Se preparó la cena, todos se alimentaron y cuando los jóvenes se fueron la señora del pastor le dijo:

—No quedó absolutamente nada, ¿qué vamos a hacer? —y el pastor le contestó con el clásico:

—"Dios proveerá".

Al día siguiente, cerca del mediodía, una hermana de la iglesia estaciona su automóvil frente a la casa del pastor, toca el timbre de la casa y pide que le ayuden a bajar algunos víveres. Traía para la familia del pastor, mucho más de lo que ellos habían puesto a disposición de los jóvenes.

Curioso el pastor por esta bendición, le preguntó a la hermana cómo era que ella decidió hacer esa compra para ellos. Ella le confesó que cuando salió de su casa no tenía intención alguna de comprar algo para el pastor, pero que una vez en el mercado sintió como una voz que le decía que debía llevarles algo y así lo hizo. "Dios proveerá" ¡Qué gran verdad![1]

19.- LA MAYORDOMÍA Y LA PROVISIÓN DE DIOS

"...Y poderoso es Dios para hacer que abunde en vosotros toda gracia..." ¡Que grato es saber que Dios todo lo provee! ¡Que bueno es poder pensar en que nuestras necesidades serán satisfechas por Él conforme su sabiduría!

Nos sentimos conmovidos cuando observamos el amor de Dios y la manera como está dispuesto a socorrernos en medio de nuestras necesidades. Cúantas ansiedades y desesperaciones son aliviadas, cuando reconocemos su participación en nuestras vidas y lo dejamos obrar.

Por otro lado cuánta angustia notamos cuando muchos de nuestros hermanos, por no reconocer a Dios como proveedor, luchan desesperamente procurando hallar ellos solución a sus muchos problemas, cuando Dios está dispuesto a ayudarles.

Es necesario que nos esforcemos para educar a nuestros hermanos en la **mayordomía**, de manera que a través de ella experimenten la gratitud de Dios y se eviten situaciones de angustias y preocupaciones.

BOSQUEJO 19.1.
TÍTULO DEL MENSAJE:
El Dios todopoderoso
Pasaje Bíblico: 2ª Corintios 9:8

Introducción:

La tranquilidad del creyente descansa en la seguridad de que tenemos un Dios proveedor. Los afanes de este mundo, las ansiedades y preocupaciones de los hombres que viven sin Dios y sin esperanza, desaparecen para el creyente ante la seguridad de la protección divina.

1.- Dios poderoso para abundar.

a)   Nuestra confianza está puesta en un Dios de poder.

b)   Nuestras necesidades son satisfechas por su gracia.

c)   Su protección es siempre abundante.

2.- Dios poderoso para lo suficiente.

a)   Nunca debemos dudar de su asistencia.

b)   Su provisión es fruto de su amor hacia nosotros.

c)   Teniendo lo suficiente es estar satisfechos en todo.

3.- Dios poderoso para sobreabundar.

a)   Dios desea lo mejor para nosotros.

b)   Él quiere que tengamos todo lo que basta.

c)   Sin embargo Él desea sobreabundar en nuestras vidas.

Conclusión:

Frente a un Dios tan poderoso, dispuesto a sobreabundar en todas las cosas, nosotros debemos comportarnos como fieles **mayordomos** asumiendo la responsabilidad que nos ha confiado. Cuando planeamos algo en su nombre no sólo debemos tener en cuenta que nuestro Dios es poderoso, dispuesto a darnos lo suficiente, sino que aún puede sobreabundar en todo.

BOSQUEJO 19.2.
TÍTULO DEL MENSAJE:
El pueblo elegido comprobó la provisión de Dios
Pasaje Bíblico: Deuteronomio 8:1-10

Introducción:

El pueblo de Israel tuvo la oportunidad de comprobar cómo Dios estuvo proveyendo para sus necesidades durante los 40 años que estuvo peregrinando en el desierto. Es admirable comprobar cómo Dios estuvo permanentemente sirviéndoles como un Dios proveedor.

1.- Dios proveyó comida en abundancia.

a) Un pueblo tan numeroso necesitaba una gran provisión de alimento todos los días.

b) En medio del desierto no había forma de obtener alimentos suficientes.

c) Dios provee el maná, un alimento completo y perfecto para alimentarles todos los días.

d) El alimento era tan perfecto que no se cansaban de él y a la vez permitió el crecimiento de los seres humanos y su procreación. El hombre aún no ha podido crear algo semejante.

2.- Dios preservó la ropa y la salud del pueblo.

a) ¿Quién podía surtir de ropa al pueblo durante 40 años?

b) Sólo Dios por medio de su poder lo hizo posible.

c) ¡El pueblo llegó a la tierra prometida sin que su ropa se envejeciera!

d) Dios fue también su médico. Cuidó de ellos en todo tiempo.

3.- Dios se manifestó como un Dios proveedor.

a) Dios mostró al pueblo su poder a través de su cuidado.

b) El pueblo pudo comprobar que la confianza que Dios demandaba de ellos estaba respaldada por su poder proveedor en todo momento.

c) La evidencia de su protección durante los 40 años le aseguraba al pueblo que bajo la dirección de Dios, estarían seguros en todo tiempo.

d) Sólo hacía falta que ellos obedecieran las leyes y ordenanzas.

Conclusión:

La forma prodigiosa cómo Dios cuidó a su pueblo es más que garantía para que nosotros también tengamos nuestra confianza y seguridad en la provisión de Dios sobre nuestras vidas. Dios requiere de nosotros una **mayordomía** plena para que administrando nuestras vidas según su voluntad, Él pueda bendecirnos con todo su poder proveedor.

BOSQUEJO 19.3.
TÍTULO DEL MENSAJE:
Garantía del poder proveedor de Dios
Pasaje Bíblico: Romanos 8:32; Filipenses 4:19; Mateo 6:33

Introducción:

Las Sagradas Escrituras nos dan garantías de la provisión de Dios en nuestras vidas. Es admirable cómo a través de los tiempos, Dios ha sido siempre fiel. Él quiere seguir siendo nuestro Dios proveedor.

1.- Si dio su Hijo, ¿qué dudas podemos tener?

a)   Frente a las dificultades que tenían los creyentes en Roma, Pablo desea animarles.

b)   Les recuerda que Dios ofrendó a su Hijo por amor a nosotros.

c)   Si nos dio lo más importante para Él, ¿cómo no nos va a dar las demás cosas que son secundarias? No tiene sentido dudar.

2.- La provisión de Dios es en relación a "sus" riquezas.

a)   La provisión de Dios no descansa en valores humanos, que son temporarios.

b)   Su provisión siempre es en valores eternos.

c)   Provienen de "sus riquezas en gloria". No hay recompensa mayor.

3.- Nuestra responsabilidad es ocuparnos del reino de Dios.

a)   Nosotros tenemos una tarea que cumplir en su nombre.

b)   Al cumplir nosotros esa tarea Él aumentará sus bendiciones en nuestra vida.

c)   Debemos ocuparnos con prioridad del Reino de Dios y su justicia. Él hará lo demás.

Conclusión:

Es como si Dios estuviera diciéndonos: Ocúpense ustedes de mis tareas en la tierra y yo me ocuparé de las demás cosas. En palabras más prácticas sería como decir: "Ocúpense ustedes de lo mío, lo demás dejen que yo lo pueda hacer. No quieran hacerlo todo ustedes, déjenme una parte a mí". ¡Con Él nos serán dadas todas las cosas! Qué hermosa garantía. Desarrollemos pues una fiel **mayordomía** para cumplir con la voluntad del Señor.

ILUSTRACIONES Y AYUDAS: Bosquejos 19.1 al 19.3.

1.- Dios ¡siempre a tiempo!

En el comienzo del pastorado de mi padre mi familia tuvo una experiencia dolorosa. Una de mis hermanas que tenía cinco años enfermó de meningitis y al poco tiempo falleció. El tratamiento de la enfermedad había consumido los pocos ahorros de mis padres y también la ayuda que los hermanos podían darle.

Me contaba mi padre, en esas charlas sobre el tema de la mayordomía, que esa noche que falleció mi hermanita, ellos no tenían ningún dinero para realizar el sepelio al día siguiente. En medio del dolor, junto con mi madre, se arrodillaron pidiendo socorro al Señor y mostrándole su confianza en que él solucionaría la difícil situación.

A la mañana siguiente, por correo expreso, llegó una carta del misionero que supervisaba la zona y que vivía a unos 150 kilómetros del lugar. En su interior traía un giro más que suficiente para los gastos que demandaba el sepelio de mi hermana. En la carta el misionero decía: "Don Natalio, me he enterado que una de sus hijas está enferma y como sé que esto origina gastos le envío este dinero para ayudarle".

La oración desesperada de mis padres fue la noche anterior, pero Dios ya había tendido los hilos el día antes, pues el envío de la carta era anterior a la muerte de la niña. ¡Dios es un Dios proveedor y cuidador!. Decía mi padre: "Nunca nos sobró dinero, pero tampoco nunca nos faltó".[1]

2.- La provisión de Dios no es sólo económica.

Mi padre antes de ser pastor ordenado, trabajó mucho tiempo como colportor. Con lo que llamamos aquí, una "jardinera", [un carruaje tirado por caballos], recorría casi toda la parte central de la provincia de Santa Fe y este de la provincia de Córdoba, sembrando Biblias por todos los lugares. Visitaba las chacras donde vivían los campesinos y también los pueblos. Fue un trabajo que sólo con la ayuda de Dios podía hacerlo. Lluvias, frío, calor, malos caminos, todo era soportado por mi padre. Cuando le daban lugar, dormía en alguna casa, o en los galpones de los cereales y cuando no le brindaban hospedaje, dormía debajo de la "jardinera". Salía de casa y dejaba a la esposa con los hijos pequeños y nunca se sabía cuándo volvería. Mi madre cumplió en ese sentido todo un ministerio.

Esto le ocasionó a mi padre, que en dos oportunidades se enfermara gravemente de pulmonía. En aquel entonces esta enfermedad era muy peligrosa, pues no se conocían la penicilina ni los antibióticos. Un día mientras estaba en una gira se enfermó gravemente. En la zona donde estaba no había ningún conocido, de manera que manejó a los caballos durante dos días para llegar a la casa de una familia de creyentes franceses que él había encontrado en sus giras anteriores.

La gravedad de su enfermedad hizo que él se desmayara antes de llegar. Los caballos que sabían el camino le llevaron hasta el destino que él quería. Los dueños de la casa se sorprendieron cuando vieron una "jardinera" en el patio de la vivienda en pleno campo. Corrieron hacia el carruaje y allí vieron a mi padre en un estado avanzado de enfermedad. Inmediatamente le llevaron a la cama y buscaron un médico, quien felizmente le atendió, pero tuvo que estar 15 días en cama.

Cuando mi madre fue notificada tuvo que dejar los niños en casa de vecinos y se fue a cuidar a su esposo, quien felizmente se sanó.

Los dueños de la chacra donde habían llegado los caballos no se podían explicar cómo pudieron entrar, pues la tranquera [puerta amplia del campo] siempre estaba cerrada. ¿Quién la abrió? ¿Quién guió los caballos? se preguntaban. **"El ángel de Jehová acampa en derredor de los que le temen, y los defiende. Gustad y ved qué bueno es Jehová; dichoso el hombre que confía en él."** Salmos 34:7-8.[1]

20.- LA MAYORDOMÍA Y LOS FRUTOS CRISTIANOS

"...Por sus frutos los conoceréis..." ¡Qué importante es para Dios que sus hijos den frutos que muestren al mundo las transformaciones que Dios hace en la vida de los seres humanos!

¿Pero, cómo llevaremos frutos si no somos educados en una **mayordomía** que nos desafíe a llevar frutos y frutos en abundancia?

La vida del creyente es como el árbol frutal. Si no lleva frutos no sirve. No tiene renovación. No brinda a los demás algo positivo que justifique su permanencia. Por lo tanto corre el riesgo de ser cortado. El árbol mismo sufre cuando no puede cumplir el propósito para el cual existe. Así es también nuestra vida cristiana. Existimos para dar frutos y a menos que los estemos brindando, no estaremos felices.

Dios en su sabiduría nos ofrece la oportunidad de fructificar para que tengamos una permanente renovación. Hagamos de nuestra vida un desafío para crecer en el Señor y fructificar para la vida eterna a través de una **mayordomía eficiente.**

BOSQUEJO 20.1.
TÍTULO DEL MENSAJE:
Llevando frutos a través de una mayordomía total
Pasaje Bíblico; Juan 15:1-17; Mateo 7:15-20

Introducción:

Un cristiano que no produce frutos para el Señor es un cristiano estéril, sin vida y sin la frescura espiritual que da ser fiel intérprete de la voluntad de Dios. Jesús nos dio el mandamiento de reproducirnos a través de nuestro testimonio, si no lo hacemos no somos fieles **mayordomos**.

1.- El cristiano debe llevar frutos para la gloria de Dios.

a) Es imprescindible que el cristiano se reproduzca, se multiplique.

b) La iglesia necesita de miembros "reproductores". Que produzcan fruto.

c) Sin la reproducción del cristiano el evangelio queda detenido. Es una gran responsabilidad llevar fruto.

2.- Nuestra capacidad y suficiencia no bastan para llevar frutos.

a) Para llevar frutos es necesaria nuestra capacidad y suficiencia.

b) Pero cuidado, ellas solas no son suficientes.

c) También es necesaria la participación del Espíritu Santo.

3.- Para llevar frutos necesitamos una plena identificación con Cristo.

a) Es necesario que nuestra capacidad y suficiencia estén unidas al Espíritu Santo.

b) Jesús fue claro en la parábola de la vid verdadera.

c) "...separados de mí nada podéis hacer..."

d) Nosotros necesitamos estar unidos a la vid para poder llevar frutos abundantes.

Conclusión:

Nosotros podemos ser muy capaces y eficientes, pero solos no somos nada. Lo que nosotros somos se multiplica y reproduce cuando se une al Espíritu de Cristo. El cristiano que viva en una plena **mayordomía** estará unido a Cristo y será un creyente que llevará muchos frutos. No basta estar "cerca", debemos estar "unidos" a Cristo.

BOSQUEJO 20.2.
TÍTULO DEL MENSAJE:
Frutos que enriquecen la vida espiritual
Pasaje Bíblico: Proverbios 10:16; Mateo 12:33; Mateo 3:8

Introducción:

Podemos ser seres que llevemos frutos dignos o frutos perversos. La elección es nuestra, depende de nuestra forma de ser. Dios quiere que llevemos frutos buenos, dignos de arrepentimiento y en abundancia, pero el diablo lucha para que seamos lo contrario.

1.- El hombre alejado de Dios sólo lleva malos frutos.

a) Los frutos del hombre por su propia naturaleza pecaminosa son malos.

b) Aún queriendo hacer el bien no lo puede lograr.

c) Carece de fuerza moral y espiritual para oponerse a las tentaciones.

2.- Sólo la fidelidad a la Palabra de Dios enriquece la vida espiritual.

a) El hombre necesita un poder sobrenatural para vencer el mal.

b) Ese poder viene sólo de Dios.

c) Quien es fiel a la Palabra de Dios y tiene a Cristo en su corazón, con la ayuda del Espíritu Santo vencerá el mal y llevará buenos frutos.

3.- Dios reclama frutos dignos de arrepentimiento.

a) Dios reclama frutos dignos y en abundancia.

b) El mundo necesita ver en nosotros el poder de Dios.

c) Por eso Dios nos pide que hagamos frutos dignos de arrepentimiento.

Conclusión:

Al hombre pecador le es difícil llevar buenos frutos. Sólo la presencia de Dios en la vida de los seres humanos hace posible que llevemos buenos frutos. Cristo al limpiar nuestros pecados nos dio la posibilidad de que podamos llevar frutos en abundancia. Necesitamos enseñar una **mayordomía** que nos permita administrar nuestra vida de forma tal que llevemos muchos frutos para la gloria de Dios.

BOSQUEJO 20.3.
TÍTULO DEL MENSAJE:
Frutos para vida eterna
Pasaje Bíblico: Juan 15:11-17; Gálatas 5:16-26;
Efesios 5:1-22

Introducción:

Uno de los impactos que los cristianos han producido en el mundo a través de los tiempos es la capacidad para mostrar un cambio total de vida. Es el ideal que nos reclama la Palabra de Dios. Vivir siendo ejemplos para los que nos rodean.

1.- Viviendo en armonía con Cristo.

a) Cristo es el que produce el cambio en nosotros al transformarnos de pecadores en hijos de Dios.

b) Sólo Él puede realizar el milagro de nuestro cambio.

c) Por eso debemos vivir en armonía con Cristo siguiendo sus enseñanzas.

2.- Siendo ejemplos en nuestra manera de vivir.

a) Necesitamos impactar al mundo con nuestro testimonio cristiano.

b) Nuestro ejemplo debe motivar a los demás para acercarse a Cristo.

c) El mundo ve a Cristo a través de nosotros.

3.- Llevando frutos para la gloria de Dios.

a) Al abandonar el pecado y vivir una vida de victoria sobre el mal demostramos al mundo el poder de Dios obrando en nosotros.

b)   Ellos verán nuestra forma de vivir y desearán alcanzar nuestra misma forma de ser.

c)   Serán ganados para el Señor y nosotros llevaremos frutos para la gloria de Dios.

Conclusión:

Al abandonar al viejo hombre con todos sus defectos para convertirnos en hijos de Dios y vivir una vida victoriosa, estamos diciendo al mundo que en Cristo hay poder para triunfar sobre el mal. Debemos ayudar a nuestros hermanos a crecer en la fe de Jesucristo a través de la **mayodomía** de sus vidas, de manera tal que cada día podamos llevar más frutos a los pies de Cristo.

ILUSTRACIONES Y AYUDAS: Bosquejos 20.1 al 20.3.

1.- Unidos a Cristo.

Tuve un abuelo paterno maravilloso. Después de su conversión fue un hombre extraordinario. Los nietos lo queríamos entrañablemente. Con su don de gente nos sentaba en sus rodillas y nos contaba cuentos originados en su Italia natal que eran nuestro deleite. Lo llamábamos con el apodo cariñoso con que los piamonteses llaman a sus abuelos "Parin". Él vivió todo el tiempo en su campo y venía de vez en cuando a visitarnos. Su llegada era para nosotros una fiesta.

Luego que falleció la abuela solía quedarse más tiempo en nuestra casa que era la de su hijo mayor. Dormía en la pieza de los varones [éramos tres hermanas mayores y tres hermanos menores]. La cama que yo ocupaba era para él. Cuando nos acostábamos por las noches, los varones nos hacíamos los dormidos, porque el abuelo apenas nos veía dormidos comenzaba a orar con Dios, sentado en la cama, ya que por la edad no podía estar arrodillado mucho tiempo.

Sus oraciones eran verdaderas conversaciones con el Señor. Era admirable cómo dominaba los pasajes bíblicos. Estaba largo tiempo en la noche orando. Sus oraciones, en el dialecto piamontés, quedaron grabadas en mi memoria y no las puedo olvidar. Al principio me llamaban la atención y algunas cosas no las comprendía, pero luego cuando crecí comencé a leer la Biblia más detenidamente,y allí me dí cuenta de lo que el abuelo decía en sus oraciones.

La parte que más me impresionaba era cuando decía: "Padre, que tú y yo seamos una sola cosa, tú en mí y yo en ti. Una mente sola, un solo corazón, un solo sentimiento. Que estemos siempre en comunión contigo..."

Con el tiempo comprendí que se refería al pasaje de la Vid y los Pámpanos. En una plena identificación con el Señor. ¡Qué hermoso ejemplo del abuelo! Deseando ardientemente que la plenitud del Señor estuviera en él y él conectado con esa plenitud, haciendo de ambas personas una sola. La única forma de llevar frutos y frutos en abundancia.[1]

2.- Necesitamos estar conectados a la fuente de poder.

Uso con mucha frecuencia esta ilustración para mostrar la razón por la cual no todos los creyentes somos poseedores del Poder de Dios. Veamos:

Yo he comprado el mejor refrigerador eléctrico que existe, la mejor cocina eléctrica de última generación y un freezer completo equipado con todos los adelantos. Tengo también la posibilidad de conectarme con la mejor corriente eléctrica, la de mayor voltage y la más segura, no hay otra mejor en el mundo.

Pero yo voy al refrigerador y está caliente, voy a la cocina y no puedo encender el fuego, voy al *freezer* y no tiene frío. ¿Qué pasa? ¿No son estos artefactos los mejores que podía conseguir? ¿No tengo la mejor energía eléctrica? ¡Qué pasa! ¡He gastado dinero inútilmente! ¿Dónde está el problema?

Reviso detenidamente y veo que la corriente eléctrica no ha sido conectada a los artefactos. Hago la conexión y de inmediato los artefactos cumplen su función sin problemas. ¡Qué barbaridad! Estaba fallando en lo más sencillo.

Así ocurre con nuestra vida de creyentes. Podemos ser los mejores seres del mundo, los de mayor preparación y conocimiento. También los de mayor poderío económico. También podemos tener al Dios de todo poder, poder que transforma y aumenta nuestras capacidades. Pero no avanzamos, no damos los frutos que todos esperan, nuestra vida es fría y sin poder. ¿Qué pasa? ¿Cómo puede ser? ¡Todos somos perfectos y Dios es más perfecto aún! ¿Cómo no funcionamos?

Igual que en el caso de los artefactos, falta la conexión. Estamos desconectados de Dios, de la Vid Verdadera, entonces no podemos llevar fruto. ¡Hagamos la conexión! Veremos entonces el cambio. Este nuestro defecto se corregirá cuando tú y yo y Dios, seamos "una sola cosa, un solo pensamiento, una sola mente, un solo corazón".[1]

21.- LA MAYORDOMÍA Y LA SIEMBRA

"...El que siembra escasamente, también segará escasamente..." La ley de la naturaleza es maravillosa para con el ser humano cuando éste está dispuesto a sembrar. Responde exactamente en proporción directa a como el hombre confía en ella. Si siembras abundantemente, ella responderá con abundancia; pero, si siembras con escasez, ella responderá de igual modo.

En nuestra vida cristiana la ley de la respuesta de parte de Dios es la misma que la de la naturaleza. Abundas, Él abunda, escaseas, Él escasea; de modo que el éxito depende de nuestra manera de proceder. Si hay diferencias las producimos nosotros con nuestra forma de obrar, Dios siempre es igual.

Sembramos con nuestro carácter, con nuestra forma de obrar, con la garantía de nuestra palabra, con el correcto obrar en todos los ámbitos de la tierra. Como **mayordomos** de los dones otorgados por Dios, debemos sembrar permanentemente para el servicio al prójimo, para el testimonio cristiano, para la extensión de la Palabra de Dios.

Las dificultades que podemos tener para sembrar son recompensadas por el éxito de la cosecha. Sembremos a "todo viento" para cosechar en "todo lugar".

BOSQUEJO 21.1.
TÍTULO DEL MENSAJE:
La avaricia y la siembra
Pasaje Bíblico: 2ª Corintios 9:6; Proverbios 6:6-11; Proverbios 10:5

Introducción:

Una de las advertencias que el Señor realizó estando en la tierra fue de que los avaros no heredarán el reino de los cielos. Un tema que no siempre es predicado con claridad en nuestras iglesias. Existen avaros ricos y avaros pobres, su condición no depende de su estado económico sino de una forma interna de ser y ver la realidad. Un fiel **mayordomo** jamás podrá ser avaro.

1.- La avaricia reduce el poder multiplicador de la naturaleza.

a) La naturaleza siempre es generosa.

b) La naturaleza responde a la confianza del sembrador.

c) El avaro por su predisposición de conservación no arriesga.

d) Por eso el avaro siempre pierde.

2.- La avaricia aleja al creyente de las bendiciones de Dios.

a) Dios siempre es generoso con sus bendiciones.

b) Dios responde a la confianza del creyente.

c) El avaro no confía plenamente en Dios.

d) Por eso el avaro automáticamente se aleja de las bendiciones de Dios.

3.- La avaricia nos impide crecer en la gracia de dar.

a) La gracia de dar se caracteriza por la generosidad.

b) El creyente crece en la gracia de dar por su generosidad.

c) Como el avaro no es generoso no crece en la gracia de dar.

d) Al no crecer en la gracia de dar pierde el gozo del **creyente** fiel.

Conclusión:

Debemos combatir la avaricia. Es un mal que el creyente debe desterrar. Debemos ser sinceros y predicar la verdad de Dios sobre la avaricia. Una enseñanza de la **mayordomía total** hará que el creyente crezca en la gracia de dar y se aleje de la avaricia.

BOSQUEJO 21.2.
TÍTULO DEL MENSAJE:
La naturaleza imagen de la gracia divina
Pasaje Bíblico: Mateo 13:1-9; Jeremías 5:24

Introducción:

La naturaleza es un calco de la gracia divina. En relación directa con la abundancia como sembramos es como la naturaleza nos va a responder. La generosidad y la mezquindad juegan un importante papel en la respuesta de la nauraleza.

1.- La misión del sembrador es sembrar.

a) El sembrador debe preocuparse de preparar el terreno para la siembra.

b) El sembrador es responsable de la siembra abundante.

c) El sembrador debe ocuparse de sembrar buena semilla.

d) La pereza no cuenta para el sembrador.

2.- El sembrador confía en la naturaleza.

a) Cumplida su tarea el sembrador debe esperar el resultado de su cosecha.

b) El crecimiento y desarrollo de lo sembrado no se da en forma inmediata.

c) La naturaleza se toma el tiempo debido para cumplir su tarea.

d) La misión del sembrador es velar y orar.

3.- El crecimiento no es tarea del sembrador.

a) El sembrador aunque quiera no puede modificar los tiempos.

b) Luego de la siembra todo es obra de la naturaleza.

c) Hay un tiempo para germinar, crecer y desarrollarse el fruto.

d) El éxito dependerá de la acción de la naturaleza.

**4.- En la siembra del evangelio ocurre lo mismo
Dios es el realizador.**

a) Nosotros debemos preparar la tierra para la siembra.

b) Nosotros debemos sembrar con abundancia y alegría.

c) Nosotros debemos esperar el crecimiento

d) Nosotros debemos orar y esperar la respuesta de Dios a nuestra siembra.

Conclusión:

La tarea evangelística de la iglesia es una de las más hermosas. Dios nos desafía a utilizar la sabiduría del sembrador haciendo todo lo posible para una siembra generosa. Dios quiere que tengamos la paciencia del sembrador para esperar los resultados. Un **mayordomo** fiel estará siempre velando en oración esperando ver crecer las semillas que en el nombre del Señor ha sembrado con optimismo, disponiéndose a realizar una abundante cosecha para la gloria de Dios.

BOSQUEJO 21.3.
TÍTULO DEL MENSAJE:
Sembrando para cosechar frutos para el Señor
Pasaje Bíblico: Mateo 13:18-23; Proverbios 25:13; Jeremías 8:20

Introducción:

La parábola del Señor relacionada con el sembrador tiene una aplicación directa a la responsabilidad del creyente en atender la siembra de la Palabra de Dios en el corazón de los seres humanos. Como **mayordomos** debemos atender a las indicaciones que el Señor nos dejó para poder hacer un trabajo de acuerdo a su voluntad.

1.- Nosotros debemos sembrar.

a) Nuestra misión es idéntica a la del sembrador.

b) Debemos preparar la tierra y sembrar con abundancia.

c)   Nuestro trabajo debe ser realizado con regocijo a pesar de las dificultades.

2.- La siembra debe ser orientada en frutos para el Señor.

a)   Nuestra tarea debe ser realizada únicamente para el Señor.

b)   Debemos excluir toda vanagloria en la tarea.

c)   Debemos reconocer que nuestra responsabilidad es sembrar para la gloria de Dios.

3.- El crecimiento lo da Dios.

a)   Debemos descansar en la seguridad de que Dios dará el crecimiento.

b)   No debemos forzar la germinación, crecimiento y desarrollo de la siembra.

c)   Debemos recordar que Dios tiene sus tiempos y debemos respetarlos.

Conclusión:

En la tarea de la siembra no debemos ser perezosos, sino activos y dispuestos a sembrar en todo lugar. Nuestra confianza debe estar en la seguridad de que Dios dará los resultados. Sólo nos resta actuar y orar esperando el momento de la cosecha. Velar como buenos **mayordomos** es también sabiduría de lo Alto.

ILUSTRACIONES Y AYUDAS: Bosquejos 21.1 al 21.3.

1.- Para sembrar hay que preparar la tierra.

Quienes hemos conocido la vida en el campo, sabemos cuánto debe trabajar el sembrador antes de depositar la semilla en la tierra.

• Debe roturar la tierra.
• Debe romper los terrones grandes.
• Debe alisar la tierra.
• Debe quitar la maleza.

- Debe abrir los surcos.
- Debe elegir la semilla y prepararla.
- Recién entonces comienza a sembrar.

Cuando nosotros deseamos sembrar la semilla del evangelio debemos seguir los mismos pasos. Debemos realizar la preparación previa para que cuando depositemos la semilla los corazones respondan con seguridad y la semilla germine. Muchas veces fracasamos en nuestro intento, por no realizar las preparaciones previas.[1]

2.- Para esperar los frutos de la siembra se debe tener fe.

El sembrador basa el éxito de su siembra en la fe en la naturaleza, fe en Dios.

- Él no puede hacer que la semilla germine.
- Necesita la lluvia prodigiosa que Dios mandará.
- Necesita del tiempo que Dios ha establecido para el proceso de germinación de las plantas.
- Necesita el tiempo natural para el crecimiento de las plantas. Él no puede adelantarlo.

En todo ese tiempo el sembrador depende de la fe. Lo único que puede hacer es orar para que todo resulte en un éxito; pero siempre depende de la naturaleza, la que es gobernada por Dios.

Cuando nosotros hemos sembrado la semilla del evangelio, también tenemos un tiempo en que debemos descansar por fe en el Señor. Él hará que la semilla del evangelio germine y lleve frutos. Nosotros sólo podemos acompañarlo en oración. Si hemos preparado adecuadamente el terreno, es seguro que la semilla brotará para bendición.[1]

3.- El sembrador debe completar su tarea para cosechar frutos.

Después que la planta ha germinado, vuelve el sembrador a tomar parte en la escena.

- Debe cuidar de la planta.

- Debe, en muchos casos arrimar tierra a sus raíces para que la planta crezca firme.
- Debe combatir la maleza para que al crecer ésta no ahogue la planta sembrada.
- Sigue esperando por fe que Dios envíe la lluvia a su tiempo. Sólo puede orar.
- Necesita de un buen tiempo para cosechar.
- La cosecha debe hacerse en su punto exacto.
- Si se recoge verde se malogra el grano.
- Si se recoge muy maduro se corre el riesgo de que el grano caiga en la tierra.
- Después de cosechado, el fruto debe utilizarse para la razón para la cual se sembró. De lo contrario no tiene sentido.

Cuando nosotros queremos cosechar los frutos de la siembra del evangelio, debemos respetar las mismas reglas.

- Debemos cuidar del recién convertido.
- Debemos sumunistrarle la palabra del Señor para que crezca firme.
- Debemos estar atentos para cortar las ramas del viejo hombre que puedan crecer y ahogar el brote del evangelio.
- Debemos orar para que Dios dé el crecimiento.
- Debemos hacer que se tome la correcta decisión en el momento preciso. Ni antes ni después.

Una vez cosechado, debemos aprovechar el fruto y encaminarlo para que se identifique con la obra de la iglesia y pueda ser un fruto que perdure para la gloria de Dios. Si lo abandonamos, desperdiciamos todo el trabajo realizado.

El ejemplo del sembrador es nuestro desafío permanente en la obra del Señor.[1]

22.- LA MAYORDOMÍA Y EL REINO DE DIOS.

"...Haceos tesoros en el cielo..." Como **mayordomos** de lo que Dios nos ha confiado debemos obrar con miras a que el Reino de los Cielos sea nuestro verdadero tesoro. El mundo tiene muchos atractivos que distraen nuestra atención y son tentaciones permanentes que nos alejan de Dios. Por ello necesitamos crecer en una **mayordomía** de nuestra vida que supere los ideales terrenales y nos eleve hacia el alcance de las cosas celestiales. Las primeras son pasajeras, las segundas son eternas.

Debemos capacitar a nuestros hermanos en Cristo para que crezcan apreciando el Reino de los Cielos y vivan por anticipado las bendiciones que el Reino ofrece.

Nuestra juventud debe ser educada en relación a las verdaderas y positivas inversiones en el Reino de los Cielos. El "mundo" les ofrece toda clase de atractivas tentaciones y en su temprana edad deben recibir de parte de los padres y de la iglesia los "antídotos" para poder contrarrestar el embate del enemigo que arrecia con toda su furia.

Dios es la respuesta y Jesucristo la persona amada que nos ayudará a través del Espíritu Santo para que esas tiernas vidas puedan ser moldeadas conforme a la voluntad de Dios expresada en Su Palabra.

BOSQUEJO 22.1.
TÍTULO DEL MENSAJE:
Inversiones sabias
Pasaje Bíblico: Mateo 6:19-21; Mateo 6:24; Lucas 12:13-21

Introducción:
El mundo con sus atractivos tiene confundidos a los seres humanos y los valores se encuentran invertidos, diametralmente

opuestos a lo que Jesús señala como sabia inversión. Debemos ser astutos y no dejarnos llevar por la falacia mundanal sino atender a la Palabra de Dios e invertir en acciones positivas y eternas.

1.- Tesoros que perduran.

a) Las inversiones que Jesús recomienda, no son pasajeras.

b) Son eternas y tienen el sello de garantía del Dios de los cielos.

c) Nadie podrá arrebatarlas.

2.- El pecado de la avaricia.

a) La avaricia impide invertir en la eternidad.

b) La avaricia nos lleva a intentar atractivos mundanos.

c) La avaricia nos aleja de los valores espirituales.

3.- Valoración equivocada.

a) El hombre rico intentó ser más rico.

b) Olvidó compartir sus bienes con los necesitados.

c) Su avaricia lo perdió para siempre. Una **mayordomía** egoísta.

Conclusión:

Debemos atender los consejos de Jesús y aprender de sus parábolas, para que podamos vivir en la tierra una vida positiva con inversiones sabias en los tesoros del cielo. Necesitamos una **mayordomía** basada en la sabiduría divina para no equivocar el futuro de nuestras vidas. Pobres para el mundo, pero ricos en Dios.

BOSQUEJO 22.2.
TÍTULO DEL MENSAJE:
Gozando por anticipado el Reino de los Cielos
Pasaje Bíblico: Mateo 6:25-34; Mateo 7:7-12

Introducción:

El creyente en Cristo no necesita llegar al cielo para gozar de su vida de cristiano. Muchos piensan que los cristianos sólo serán felices en la eternidad. Es un error, somos felices desde el momento que conocemos a Cristo.

1.- Viviendo victoriosamente.

a)   La vida del creyente va de victoria en victoria.

b)   Nuestra fe y confianza en el Salvador nos sostiene.

c)   Somos más que vencedores por medio de aquel que nos amó.

2.- Olvidando las preocupaciones.

a)   Las preocupaciones y los afanes deben olvidarse.

b)   Hemos puesto nuestra confianza en el Rey de reyes.

c)   Lo terrenal es superado por lo espiritual.

3.- Gozando la protección de Dios.

a)   El Dios de todo poder es nuestro Padre.

b)   Él nos proteje como a hijos.

c)   Su amor hacia nosotros es la garantía de protección.

Conclusión:

La tierra para el creyente que vive de fe en fe es un anticipo de lo que será el cielo. Aquí comenzamos a gozar lo que será nuestro mañana junto a nuestro Salvador. A través de una **mayordomía** responsable vivamos nuestra vida terrenal con pleno regocijo.

BOSQUEJO 22.3.
TÍTULO DEL MENSAJE:
El mayordomo fiel y el Reino de los Cielos
Pasaje Bíblico: Lucas 12:41-48; Filipenses 2:15

Introducción:

Necesitamos vivir en este mundo de forma tal que nuestros semejantes vean el cambio producido en nosotros como consecuencia del nuevo nacimiento en Cristo. Implica una responsabilidad para el creyente que solamente viviendo como verdaderos **mayordomos** podremos cumplir.

1.- Una mayordomía responsable.

a) La parábola del Señor es clara. Somos **mayordomos** del reino de los cielos.

b) Debemos vivir de acuerdo a la confianza que el Señor depositó en nosotros.

c) Cumplir con la voluntad de nuestro Señor ha de ser nuestra meta.

2.- Una mayordomía irresponsable.

a) El siervo que no cumplió con la confianza de su Señor fue irresponsable.

b) Abusó de la confianza que había depositado el Señor en él.

c) Vivió de acuerdo a su manera y no de acuerdo a la voluntad de su Señor.

3.- Premios y castigos.

a) Dios no perdona nuestra irresponsabilidad. Exige una vida de correcta **mayordomía.**

b) El **mayordomo** fiel fue prosperado.

c) El **mayordomo** infiel fue castigado.

Conclusión:

Debemos tener muy en cuenta en nuestra vida esta advertencia de parte de Dios. Debemos vivir ante el mundo siendo ejemplos de fieles **mayordomos.** Cuando descuidamos nuestra **mayordomía** cristiana nos exponemos a los castigos señalados por el Señor. Seamos pues sabios **mayordomos.**

ILUSTRACIONES Y AYUDAS: Bosquejos 22.1 al 22.3.

1.- Viviendo el Reino de Dios.

En las iglesias que pastoreó mi padre, tuvimos muy gratas experiencias de seres convertidos al evangelio, que tuvieron un cambio radical en sus vidas. Pero hubo una que me quedó muy grabada en mi mente por el impacto producido en una vida. Se trata de Don Gerardo, un gracioso adulto que comenzó visitando una misión de la iglesia, en avanzado estado de embriaguez.

Nuestra intención cuando le vimos entrar al lugar del culto fue la de sacarlo fuera, pero nuestro padre nos hizo señas como diciendo: "mientras no moleste, déjenlo". De vez en cuando salía con algunas expresiones, pero no alteraba demasiado la predicación. Terminado el culto se fue sin problemas.

Lo llamativo es que a la semana siguiente volvió, igual que siempre, totalmente embriagado. Volvió a escuchar la predicación y luego se fue sin molestar. Hizo esto por varias semanas, hasta que una noche nos pareció a todos que no estaba "tan" borracho como otras veces. Todos nos hicimos la misma pregunta ¿estará cambiando?

Las semanas siguientes nos fueron sorprendiendo, no sólo no venía ebrio, sino que comenzaba a venir mejor vestido. Bien limpio. Siguió así hasta que un día manifestó su deseo de aceptar al Señor. Desde ese momento comenzó a venir también a los cultos normales del templo y no solamente a la misión. Pidió el bautismo y mi padre para cerciorarse de su cambio, fue a entrevistar a una hija de Don Gerardo que vivía en las afueras de la ciudad, y con quien él vivía.

La hija le confesó que estaba sorprendida del cambio de su papá, pues no bebía más, era más limpio, y su deseo era ir siempre a la iglesia donde mi padre era pastor. Se bautizó, y fue uno de esos creyentes que uno no podrá olvidar jamás. Recuerdo que todos los sábados asistía a la reunión de jóvenes (siempre estaba en todas las reuniones) y luego nos entreteníamos en el hogar de mis padres, escuchando a Don Gerardo contándonos sus experiencias como hombre de campo y conocedor de las costumbres gauchescas. Siempre, en todos los cultos, él llegaba media hora antes. Su cambio de vida impactó a todos sus conocidos. En la iglesia todos lo querían.

Este es un ejemplo de lo que es vivir fuera del Reino de Dios y dentro del Reino de Dios. Mientras fue un borracho, [ebrio consuetudinario] estaba en el reino de Satanás, cuando se convirtió, pasó a formar parte del Reino de los Cielos. En el de Satanás era todo problemas, peleas y desdichas, cuando pasó al Reino de Dios, fue todo alegría y felicidad.[1]

2.- Un testimonio de cómo se vive en el Reino de Dios.

Una señora estaba dando el siguiente testimonio en una iglesia: —Hace algunos años atrás, estaba en mi hogar y me disponía a ir a dormir. En ese momento estaba sola en mi casa. Me arrodillé al pie de la cama para orar y por el espejo del ropero alcance a ver que había un hombre debajo de mi cama. Comencé a orar en voz alta, sin demostrar temor, y me encomendé en las manos del Señor, pidiendo que el hombre que estaba debajo de la cama no me hiciera daño alguno. Tratando de superar ese momento de tremenda tensión, me acuesto, apago la luz, y al instante el hombre se va sin hacerme ningún daño y sin llevarse nada de lo mío. ¡Dios había venido en mi socorro!.

Estaban los hermanos dando gracias a Dios por la valentía de esta señora y por el cuidado del Señor, cuando un hombre comienza a caminar hacia el frente de la iglesia. Pidiendo permiso para hablar dijo:

—"Señora, yo soy el hombre que usted vio debajo de su cama aquella noche. Había ido con la intención de robarle; pero al escuchar a usted orar con tal convicción y seguridad y viéndola tan valiente, decidí salir de la habitación sin completar mi propósito. Su ejemplo me conmovió y yo quise tratar de vivir con la seguridad conque usted vivía. Busqué a Dios, me he convertido y ahora soy miembro de esta iglesia. Como hermano en Cristo le pido perdón por el susto que le di esa noche.

¡Tremenda emoción en la reunión! Un ser que vivía en el Reino de Dios y otro ser que vivió equivocado en el reino de Satanás y quiso entrar en el maravilloso Reino de Dios.[1]

23.- LA MAYORDOMÍA Y LA GRAN COMISIÓN

"...Id por todo el mundo...haced discípulos..." La Gran Comisión aumenta el sentido de responsabilidad del creyente en la **mayordomía.** Primero fue la **mayordomía** de la Creación, donde "todos" somos **mayordomos,** responsables de la ecología y de la vida, luego la **mayordomía** de la ley donde Dios agregó mayores responsabilidades, y ahora llegamos a la **mayordomía** cristiana, de la nueva vida en Cristo, que comienza con la venida de Cristo Jesús y nuestro nacimiento espiritual. Ahora la Gran Comisión nos hace **mayordomos** responsables de la extensión del evangelio por todo el mundo.

Ello compromete todos nuestros dones, talentos, tiempo, conocimientos, capacidades y bienes, los cuales deben ser puestos en correcta **mayordomía** al servicio de la iglesia.

Se produce el concepto de salvados para salvar. Dios nos ha comprado al precio de la sangre de su Hijo derramada en la cruz del calvario, razón por la cual le pertenecemos y en tal concepto el nos da la seguridad de la vida eterna y el perdón de nuestros pecados, pero también desea utilizarnos para que otros conozcan la verdad del evangelio que llegó hasta nosotros, gracias a que otros se ocuparon de hablarnos.

Esta es una **mayordomía** exclusiva para los cristianos. De la forma como nos desempeñemos como **mayordomos** al administrar esta responsabilidad serán las bendiciones que recibiremos.

BOSQUEJO 23.1
TÍTULO DEL MENSAJE:
La mayordomía cristiana
Pasaje Bíblico: Mateo 28:18-20; Lucas 24:44-49

Introducción:

A partir de la Gran Comisión Dios reclama una nueva **mayordomía**, esta vez es exclusiva para creyentes. Se trata de nuestros dones, talentos, tiempos, conocimientos, capacidad y bienes, los cuales deben ser administrados como fieles **mayordomos** a fin de que el propósito de la Gran Comisión sea cumplido.

1.- Fe y confianza en los redimidos.

a) En la Gran Comisión Dios deposita su confianza en los redimidos por Cristo.

b) Como embajadores de Cristo debemos llevar adelante su mensaje de salvación.

c) El relato de nuestra conversión es el más efectivo testimonio.

2.- Enviados a todo el mundo.

a) Nuestra responsabilidad comienza en nuestro hogar, con nuestros familiares.

b) Se extiende a nuestros alrededores, parientes, compañeros de trabajo, vecinos, etc.

c) Llega hasta lo último de la tierra incluyendo a todos los pueblos.

3.- Testimonio a través de una nueva vida.

a) La **mayordomía** cristiana comprende la predicación del evangelio y nuestra forma vida.

b) Debemos predicar con el ejemplo de una vida totalmente transformada.

c) El poder del evangelio y nuestro testimonio cristiano harán posible el cumplimiento de la Gran Comisión.

Conclusión:

Necesitamos desarrollar nuestra **mayordomía** en toda nuestra vida para poder cumplir con la Gran Comisión. Ahora Cristo espera que seamos fieles **mayordomos** de esta responsabilidad que ha puesto en nuestras manos. Del grado de nuestra fidelidad dependerá el éxito.

BOSQUEJO 23.2.
TÍTULO DEL MENSAJE:
La Gran Comisión sinónimo de mayordomía
Pasaje Bíblico: Mateo 28:18-20; Efesios 2:1-10;
Efesios 4:11-16

Introducción:

El plan de Dios para extender el evangelio de Jesucristo está basado en la utilización de aquellos a quienes redimió. Allí nace la **mayordomía cristiana,** es decir una **mayordomía** que Dios exije de los cristianos para que podamos cumplir la Gran Comisión.

1.- Salvados para salvar.

a) Dios nos perdona y salva por medio de Jesucristo.

b) Una vez regenerados por el poder del Espíritu Santo de Dios nos comisiona.

c) En una palabra venimos a ser salvados para salvar.

2.- Anunciar un mensaje de gracia.

a) El primer propósito de la redención es salvarnos de condenación.

b) El segundo es utilizarnos para que otros sean salvos.

c) Somos portadores de un mensaje de redención que cambia y hace nuevo a los hombres por medio de la gracia dada por Dios a los hombres en la persona de Jesucristo.

3.- Responsabilidad ineludible.

a)   Esto crea una responsabilidad ineludible que llamamos **mayordomía** cristiana.

b)   La iglesia debe organizarse para que los miembros puedan cumplir esta **mayordomía.**

c)   El pastor y los líderes son responsables de la capacitación del "cuerpo" de Cristo.

Conclusión:

Necesitamos convencernos de que a menos que eduquemos a los miembros de las iglesias en una **mayordomía** responsable, será muy difícil alcanzar el cometido de la Gran Comisión. **Mayordomía** y misiones deben estar unidos para el cumplimiento de este propósito.

BOSQUEJO 23.3.
TÍTULO DEL MENSAJE:
No somos nuestros
Pasaje Bíblico: Romanos 6:6-14; 1ª Corintios 6:19-20;
1ª Corintios 7:23

Introducción:

El cristiano debe ser consciente de que no se pertenece. Dios le ha comprado y Jesucristo pagó el precio de su redención. Por lo tanto nuestra actitud ante la Gran Comisión debe ser la de un fiel **mayordomo.**

1.- Liberados del pecado por gracia.

a)   No somos salvos por méritos propios. Ni por obras o por precio que pudiéramos pagar.

b)   Somos salvos del pecado por gracia de Dios y por los méritos de Cristo en la cruz.

c)   Su muerte significó nuestra liberación. Es don de Dios por gracia a través de la fe.

2.- Comprados a un elevado precio.

a) Sin embargo aunque gratuito para nosotros, Dios pagó un alto precio por nuestra libertad.

b) Su precio fue la sangre de su hijo muerto en la cruz del calvario.

c) Un elevado precio por nuestro rescate aún cuando no lo merecíamos.

3.- No nos pertecemos.

a) Si fuimos comprados, entonces no nos pertenecemos.

b) Somos de aquel que pagó el precio de nuestra redención.

c) Su propósito al redimirnos fue doble a) Salvarnos de condenación b) Usarnos para que salvemos a otros. En síntesis "salvados para salvar".

4.- Necesitamos una sabia mayordomía.

a) Ante esta situación necesitamos ser conscientes y reconocer que debemos ejercer una sabia **mayordomía** de nuestra vida para cumplir la Gran Comisión.

b) Debemos capacitarnos para servir adecuadamente al Señor.

c) Debemos llevar una "nueva" vida en Cristo que haga que quienes nos conocen tengan deseos de saber de aquel que logró nuestra transformación.

Conclusión:

La Gran Comisión será una realidad cuando hayamos comprendido estas verdades y nos dispongamos a servir a nuestro Señor despojándonos de todos nuestros atributos. Si no somos nuestros y somos del Señor, entonces todo lo que hagamos en la vida tendrá que ver con aquel que es nuestro dueño.

ILUSTRACIONES Y AYUDAS: Bosquejos 23.1 al 23.3.

1.- La urgencia de la evangelización.

Muchas veces hemos sido sacudidos al enterarnos de personas que están dispuestas a suicidarse y que se han subido a una cierta altura o a un edificio para lanzarse al vacío. En todos los casos las personas quieren ayudar a dicha persona para que no cometa el suicidio. Aparecen la policía, los bomberos y las ambulancias con el propósito de brindar ayuda. Están también los familiares que en su deseperación tratan de evitar el desenlace. Se produce una valiosa inversión de tiempo, medios y recursos. Reaccionamos emocionalmente porque una vida humana es siempre preciosa y queremos salvarla de la muerte.

Sin embargo, no ocurre lo mismo cuando vemos que muchos van camino al suicidio espiritual y eterno al rechazar el don de la salvación provisto por Dios en la persona de su hijo Jesucristo. La mayoría de las veces no les prestamos toda la atención que necesitan. ¿Es que acaso la muerte espiritual de una persona es menos importante que la muerte física? ¿Es que acaso la vida física y temporal vale más que la vida espiritual y eterna?

En ocasiones estamos dispuestos a darle a las personas los regalos y dones más preciosos que podemos. Gastamos en ellos todo el dinero que sea necesario; estamos inclusive decididos a donar nuestra propia sangre y aun parte de nuestros órganos vitales si se precisan para salvar su vida. Pero parece que no nos damos cuenta de que el mejor regalo y la mejor obra que podemos hacer por ellas es llevarlos al conocimiento de Cristo Jesús como Salvador y Señor.

Hemos perdido un poco el sentido de la importancia y urgencia de la salvación del alma. La gente va camino del infierno, que es la separación eterna de Dios, y casi ni nos preocupa. Es necesario que despertemos y compartamos a Cristo con mayor celo evangelístico.[3] (adaptado).

2.- Posibilidades.

- Amado Nervo podía tomar un pedazo de papel sin valor, escribir en él un poema y hacerlo valer 1.000 dólares... eso es **Talento**.

- Rockefeller podía firmar su nombre en un pedazo de papel y hacerlo valer millones de dólares, ... eso es **Capital**.

- El Gobierno, puede tomar cualquier papel, imprimirlo y hacerlo valer 100 dólares,... eso es **Dinero**.

- Un artesano puede tomar un material con valor de 5 dólares y convertirlo en un producto de 50 dólares, ... eso es **Habilidad**.

- Un artista puede tomar un lienzo barato, pintar un dibujo en él y hacerlo valer 6.000 dólares... eso es **Arte**.

- Dios puede tomar una vida quebrantada, llenarla con el Espíritu de Cristo y convertirla en bendición para la humanidad,...eso es **Redención**.[3]

24.- LA MAYORDOMÍA Y LA VIDA EN CRISTO

"...Sin mí nada podéis hacer..." La correcta **mayordomía** se vive en plenitud cuando como **mayordomos** permanecemos unidos a Cristo para recibir la fuerza necesaria para vencer las tentaciones y triunfar en esta vida.

Jesús dijo: "...*Yo he venido para que tengan vida y vida en abundancia...*" Esta clase de vida sólo se puede vivir a través de la comprensión de una total **mayordomía** de lo que somos, tenemos y sabemos. Cuando estos valores son administrados de acuerdo a la voluntad de Dios y Cristo vive en nosotros en forma permanente, se produce el milagro y se vive la realidad de una vida en abundancia.

Somos responsables como líderes de las iglesias para enseñar a nuestros hermanos esta verdad. Si deseamos una iglesia triunfante, primero debemos lograr una comunidad de hermanos que vivan en plenitud esta **mayordomía** y hagan realidad la vivencia de una vida abundante.

Dios quiere bendecirnos, pero sólo lo hará cuando esté convencido de que nosotros queremos ser fieles **mayordomos** de las responsabilidades que ha puesto sobre nosotros. Vivir en Cristo es el ideal de todo creyente. Ayudémosle a que pueda ser una realidad en la vida de cada miembro de nuestras iglesias.

BOSQUEJO 24.1.
TÍTULO DEL MENSAJE:
Sin mí nada podéis hacer
Pasaje Bíblico: Juan 15:1-17; Juan 17:12-18

Introducción:

En la parábola de la vid y los pámpanos Jesús está señalando claramente la identificación que debemos tener con Él. Luego en la oración por sus discípulos está mostrando cómo estará cuidando de sus hijos aún después de su partida.

1.- Necesitamos unidad con Cristo.

a) La unidad es fundamental para obtener la savia que nos permitirá llevar frutos.

b) Esa unidad es consecuencia de nuestra dependencia de su poder y de su guía.

c) Mientras estemos unidos a Cristo, el enemigo no podrá interponerse.

2.- Necesitamos identificación con Cristo.

a) La identificación es unidad con Cristo.

b) La identificación nos permite asemejarnos a Cristo.

c) La identificación nos permitirá hacer su voluntad.

3.- El Espíritu Santo asegura la unidad e identificación con Cristo.

a) El Espíritu Santo obrando en nosotros es la presencia de Cristo en nuestras vidas.

b) El Espíritu Santo no sólo es garantía de unidad e identificación, sino también impulsor de los planes de Dios para con nuestras vidas.

c) El Espíritu Santo en nosotros hará que estemos siempre unidos a aquel que es nuestro Señor.

4.- Necesitamos una mayordomía responsable.

a) La unidad con Cristo requiere de persistencia y dedicación.

b)   La identificación con Cristo requiere ser participante en su Obra.

c)   Sólo mediante una **mayordomía** responsable podremos cumplir con el deseo de Cristo de servirle a través de una plena identificación con Él. Sólo así podremos llevar frutos abundantes. Conclusión:

Alejados de Cristo no sólo no podremos llevar frutos, sino que estaremos expuestos a las tentaciones del enemigo. Necesitamos ser uno en Cristo. Su mente nuestra mente, su corazón nuestro corazón, su pensamiento nuestro pensamiento. Identificación con Cristo no es estar cerca de Él, sino estar "prendido" de Él.

BOSQUEJO 24.2.
TÍTULO DEL MENSAJE:
Una plena identificación con Cristo
Pasaje Bíblico: Juan 15:1-17; Juan 16:4-15

Introducción:

Jesús estuvo en los últimos días de su ministerio dando instrucciones a sus discípulos. Primero les habló de la unidad espiritual con Él. Luego les anticipó que enviaría al Espíritu Santo, quién les guiaría a toda verdad y les ayudaría a comprender mejor muchas cosas que por ahora no habían comprendido muy bien.

1.- La vid asegura savia a los pámpanos.

a)   Los pámpanos dependen de la vid para llevar frutos.

b)   Cuanto más identificados estén con la vid, mayor serán los frutos.

c)   Si los apartan de la vid, mueren y no pueden llevar frutos.

2.- Los pámpanos llevando frutos.

a)   La vid es conocida y apreciada por los frutos que dan los pámpanos.

b)   Una vid buena asegura buenos frutos si el pámpano permanece en la vid.

c)   Una vid buena puede no dar frutos si el pámpano no permanece en la vid.

3.- Los frutos resultado de nuestra identificación con Cristo.

a)   En la vida espiritual ocurre lo mismo. Los hombres conocerán a Cristo a través de nosotros.

b)   Si permanecemos en Cristo, los frutos abundantes y buenos están asegurados.

c)   Si no permanecemos en Cristo, los frutos no resultarán ni buenos ni abundantes.

4.- El Espíritu Santo en nosotros garantía de frutos abundantes.

a)   El Espíritu Santo nos ayudará para que con nuestra identificación con Cristo los frutos de nuestro ministerio sean abundantes.

b)   Unidos e identificados con Cristo, como los pámpanos en la vid, y con la dirección del Espíritu Santo, nuestros frutos serán positivos para la gloria de Dios.

c)   Una correcta **mayordomía** de nuestras vidas y una plena participación del Espíritu Santo harán posible que llevemos frutos abundantes como creyentes en Cristo.

Conclusión:

Vivamos nuestras vidas como creyentes, en plena identificación con Cristo para llevar frutos abundantes y permitamos que el Espíritu Santo nos ayude en nuestra tarea. De esa forma estaremos seguros de ejercer una correcta **mayordomía**.

BOSQUEJO 24.3.
TÍTULO DEL MENSAJE:
La vid y los pámpanos
Pasaje Bíblico: Juan 15:1-17; Juan 10:10

Introducción:

La voluntad de Dios es que vivamos nuestra vida en abundancia. Para ello Él ha dejado establecido ciertas normas que debemos cumplir. Todo depende entonces de nuestra forma de obrar.

1.- Vida en abundancia.

a) El mundo no tiene posibilidades para que nosotros podamos vivir una vida victoriosa.

b) La vida cristiana tiene sus encantos. Es un gozo vivirla.

c) Cristo quiere que esa vida cristiana nosotros la vivamos aun en abundancia.

2.- Sin mí nada podéis hacer.

a) Hay formas para vivir esa vida en abundancia.

b) Cristo dice que debemos estar unidos e identificados a Él como los pámpanos a la vid para poder vivir esa vida abundante.

c) De otra manera no podremos obtener la "savia" necesaria para vivir abundantemente.

3.- Identificados para un propósito positivo.

a) La vida abundante no es sólo para nosotros.

b) Dios quiere que la compartamos con los que aún están sin Dios sin esperanza.

c) Él quiere que nosotros seamos portadores de la vida abundante y en su nombre anunciemos la paz.

4.- Mayordomos responsables.

a) Para cumplir la voluntad de Dios debemos disciplinarnos en nuestras tareas.

b) Para cumplir la voluntad de Dios se requiere plena disposición y consagración.

c) Ello sólo será posible a través de una **mayordomía** práctica y responsable de toda nuestra vida.

Conclusión:

Ayudemos a nuestros hermanos a desarrollar la **mayordomía** de sus vidas para que puedan ser portadores de la verdad y en plena identificación con Cristo lograr abundantes frutos para la Obra del Señor.

ILUSTRACIONES Y AYUDAS: Bosquejos 24.1 al 24.3.

1.- Una vida llena de fe y esperanza en Cristo

Corrie Ten Boom vivía pacífica y felizmente con su padre y su hermana en Haalen, Holanda, cuando comenzó la Segunda Guerra Mundial. Pronto los tres empezaron a proveer a los judíos perseguidos, lugares donde esconderse. Como consecuencia, Corrie y su hermana estuvieron muchos meses internadas en un campo de concentración.

Allí estuvieron sujetas a toda clase de privaciones, humillaciones y malos tratos. Personas mucho más fuertes que ellas sucumbieron. Pero Corrie sobrevivió a esas condiciones tan terribles porque estaba llena de esperanza, fe y optimismo. Tenía una plena identificación con Cristo.

Al ser liberada, empezó a viajar para contar al mundo entero acerca de esa realidad que ella había experimentado en Cristo Jesús. Ella dijo que cuando tenemos una razón espiritual para vivir, podemos soportar toda clase de dificultades en la vida. La fe, la esperanza, nacidas de la identificación con Cristo, pueden darnos fuerzas capaces de superar toda clase de experiencias por terribles y dolorosas que ellas sean.[4] (adaptado).

2.- Definiciones:

La iglesia no es una Casa de reposo para los santos, sino más bien una Estación de rescate y servicio para los pecadores.[4]

3.- ¿Termómetro o termostato?

Hay dos clases de creyentes, que pudiéramos clasificar:

1.- **Termómetro**: registran la temperatura ambiente. Suben y bajan sus criterios según la atmósfera que los rodea. No tienen criterios propios. No están "prendidos" de Cristo. Tienen solamente un conocimiento de él.

2.- **Termostato**: regula la temperatura del ambiente en que está. Tiene criterio propio. Vive "prendido" a Cristo y transmite su poder y fortaleceza.[4] (adaptado).

3.- Honrar a Dios

El poder conferido por la acumulación de bienes, puede convertirse en una bendición en la vida de la iglesia y en su testimonio frente a la sociedad. El uso sabio y cristiano de los bienes, cuando éstos se administran para ayudar al prójimo y para fortalecer el ministerio cristiano, es una manera de honrar a Dios y de reconocerlo como el verdadero propietario de todo.[1]

25.- LA MAYORDOMÍA Y EL AMOR AL PRÓJIMO

"...Ama a tu prójimo como a ti mismo..." Uno de los termómetros que mide la fe del creyente es el grado de amor que éste tiene para con su prójimo. Quizás sea esta ordenanza del Señor la más difícil de atender para todo fiel **mayordomo.**

Esta necesidad de dar un correcto testimonio de nuestras creencias y de alcanzar la vida en abundancia que deseamos vivir, nos lleva a la conclusión de que debemos practicar una **mayordomía** en nuestra vida que tenga por prioridad servir a nuestro prójimo.

El mundo está expectante tratando de ver el comportamiento de los cristianos. Nosotros tenemos la obligación de demostrarles que el amor que Dios tuvo hacia nosotros sobrebunda en nuestras vidas y nos da fortaleza para servir a nuestro prójimo. Ellos se darán cuenta de inmediato si en verdad somos correctos **mayordomos** de lo que decimos creer. Lo verán o no, en nuestra forma de tratar al prójimo.

Dios quiere salvar a todo el mundo, y para ello espera que nosotros seamos sabios **mayordomos** y les llevemos a nuestro prójimo, que está perdido el mensaje de salvación.

BOSQUEJO 25.1.
TÍTULO DEL MENSAJE:
Sin amor no hay mayordomía total
Pasaje Bíblico: 1ª Corintios 13:1-13; Lucas 10:25-37

Introducción:

Una de las tareas más difíciles para el creyente es mostrar el amor al prójimo, máxime si éste es nuestro enemigo. Se requiere sabiduría divina para poder ser un fiel **mayordomo** en esas circunstancias. Sólo el inmenso amor de Dios en nosotros puede hacer que sobreabundemos en amor a nuestro prójimo.

1.- El amor da significado a toda actividad.

a) La vida sin amor, no tiene sentido. El amor le pone un colorido especial.

b) Cuando amamos superamos toda dificultad. Avanzamos sin temor.

c) El apóstol Pablo es claro cuando se refiere al amor y su significado en la vida.

2.- El amor al prójimo enaltece nuestra vida.

a) Cuando amamos hacemos que todas las cosas tengan mejor aceptación.

b) El amor es el aceite que suaviza las relaciones para hacerlas agradables.

c) Por eso Jesús destacó el mandamiento de amar al prójimo como a nosotros mismos, como base de toda relación humana.

3.- El samaritano nos da el ejemplo.

a) Su amor al prójimo le llevó a olvidar las diferencias raciales y religiosas.

b) Su amor le hizo comprender que su prójimo estaba en necesidad y debía ser atendido.

c) Alteró el curso de su camino y se ocupó de que su prójimo recibiera la adecuada atención.

4.- El fiel mayordomo necesita amar al prójimo.

a) El fiel **mayordomo** debe saber que todos somos hermanos.

b) El fiel **mayordomo** debe reconocer que la necesidad de su hermano es su propia necesidad.

c) El fiel **mayordomo** debe vivir sirviendo al prójimo como si fuera él mismo.

Conclusión:

El mundo será distinto cuando todos tengamos en cuenta que el amor es la primera prioridad del ser humano. Dios dio el ejemplo, su amor hacia el pecador hizo posible su redención por medio de Cristo. Amemos y sirvamos a nuestro prójimo para que el mundo vea a Cristo a través de nuestro proceder.

BOSQUEJO 25.2.
TÍTULO DEL MENSAJE:
Un estilo de vida distintivamente cristiano
Pasaje Bíblico: Filipenses 2:15; 1ª Pedro 1:13-25;
Efesios 4:17-32

Introducción:

El cristiano ha nacido de nuevo y por lo tanto su nueva vida en Cristo debe llevarle a un cambio total de mentalidad. Despojado del viejo hombre, debe vestir ahora al nuevo hombre estructurado no ya a la idea del mundo sino de acuerdo a la voluntad de Dios. Requiere por lo tanto de una **mayordomía** orientada hacia la permanente superación de su forma de ser.

1.- Una responsabilidad del cristiano: vivir distinto.

a) Somos luminares para el mundo. Por lo tanto debemos vivir dando luz al perdido.

b) Si hemos encontrado la Luz, ahora debemos andar en la Luz.

c) "Sed santos porque Dios es Santo", por lo tanto debemos vivir esa santidad.

2.- Un cambio total que nos diferencia del mundo.

a) Nuestra vida debe ser distinta de lo que era antes de conocer a Cristo.

b) El mundo debe darse cuenta, por su forma de vivir, quién es cristiano y quien no.

c) El mejor testimonio es una vida regenerada por el poder del Espíritu Santo.

3.- El mundo ve a Cristo a través de nosotros.

a) ¿Cuál es el parámetro que el mundo tiene para saber el cambio que Cristo produce en el ser humano?

b) Nosotros reflejamos la gloria de Cristo con nuestra forma de actuar. Podemos exaltarla o empañarla por la forma como vivimos el cristianismo.

c) Dios ha confiado en nosotros, no le defraudemos.

4.- Por amor a nuestro prójimo, vivamos la nueva vida en Cristo.

a) Se requiere la ayuda del Espíritu Santo para vivir en santidad.

b) Necesitamos recordar que Dios nos necesita para salvar a otros.

c) Por ello debemos desarrollar una **mayordomía** responsable en la vida de cada creyente para que pueda ser un fiel exponente del cambio producido por el evangelio en nosotros.

Conclusión:

Nuestro prójimo apartado de Dios, espera que nosotros le mostremos por amor, cuál ha sido el cambio en nuestra vida producido por Cristo. Sólo en una vida plenamente transformada hallará nuestro prójimo el camino que le pueda llevar a la salvación. No seamos tropiezo para nadie. Vivamos nuestra vida como **mayordomos** responsables ante el Señor y nuestro prójimo.

BOSQUEJO 25.3.
TÍTULO DEL MENSAJE:
Amor al prójimo, un desafío a nuestra mayordomía
Pasaje Bíblico: Éxodo 20:16-17; Levítico 19:18
Zacarias 8:16; Mateo 5:38-48

Introducción:

El amor al prójimo ha sido requerido por Dios desde el comienzo de las leyes para el pueblo de Israel. Jesús lo ha confirmado. Por lo tanto es un asunto de primera prioridad en la vida del creyente. No amar al prójimo es faltar al adecuado testimonio cristiano.

1.- El amor al prójimo: un mandamiento.

a) No es una simple expresión de buena voluntad, es un mandamiento.

b) Dios exigió amor y respeto para el prójimo al pueblo de Israel.

c) Jesús insistió sobre este particular y lo extendió hasta el prójimo enemigo.

2.- El amor al prójimo: una responsabilidad cristiana.

a) De acuerdo a la Palabra de Dios somos responsables del cumplimiento de este mandamiento.

b) Jesús espera que no sólo amemos a nuestro prójimo, sino aun al que es nuestro enemigo.

c) Esta es una tremenda responsabilidad que pesa sobre nuestras vidas como creyentes.

3.- El amor al prójimo: prueba de fuego para nuestra mayordomía.

a) Ser **mayordomos** de Dios, no es sólo un título, requiere tener una conducta cristiana.

b) El amor al prójimo es como un termómetro que mide el grado de nuestra fe.

c) Debemos desarrollarnos en una **mayordomía** cristiana que nos lleve a cumplir con el desafío del Señor.

Conclusión:

Cuando el prójimo se haya dado cuenta de que nuestro amor hacia él no es cosa nuestra sino impulso del amor de Dios en nosotros, sin duda alguna estará dispuesto a tratar de alcanzar también ese amor. En ese instante comprobaremos la eficacia de nuestra **mayordomía** cristiana.

ILUSTRACIONES Y AYUDAS: Bosquejos 25.1 al 25.3

1.- La decisión de Hobab.

En la Biblia, en el libro de Números 10:29-32 se relata una conversación que Moisés tuvo con su cuñado Hobab. Moisés le invitó a que fuera con ellos —ven con nosotros, te haremos bien —le dijo. Aquello era un ofrecimiento generoso, pues Canaán era una tierra fértil, rica en árboles, ríos y lagos, en comparación con Madián que era puro desierto. Pero Hobab no quiso, rechazó la oferta. Aquello no le tentó.

Esto entristeció a Moisés, pues él amaba a su cuñado y deseaba su compañía. De nuevo le hizo otra oferta:

—Te ruego que no nos dejes, tú conoces el camino y sabes dónde debemos acampar, tú nos serás como nuestros ojos.

Esto sí que le convenció y decidió acompañarles. No le convenció lo que podían darle, sino lo que él podía hacer por los demás. Hobab sabía lo que era el amor y el servicio a los demás. El apóstol Pablo nos dice en Gálatas 5:13 "Servíos por amor los unos a los otros...". El amor es darse, el amor es servir. Amemos y sirvamos, esto agradará al Señor.[4] (adaptado).

2.- Un gesto de verdadero amor.

Un joven soldado que había luchado bravamente defendiendo su patria y su familia, perdió en el tremendo combate un brazo y las dos piernas. Estando aún convaleciente en el hospital, el médico que le trataba se le acercó un día y en gesto de simpatía le expresó su condolencia por haber perdido el brazo y las dos piernas.

El soldado un tanto disgustado le replicó con tono severo:

—Yo no los perdí. Yo los entregué por amor a mi patria.

Las cosas cambian de sentido cuando lo hacemos por amor.[4] (adaptado).

3.- Administrar.

La tarea principal dada al hombre es la de administrar el mundo creado por Dios. A través de su relación con los bienes materiales, el hombre ejerce el privilegio y la responsabilidad de demostrar su relación con el Dueño de todas las cosas. Por medio de una administración fiel y hábil de las cosas que le han sido brindadas, el hombre puede servir a Dios sirviendo a los demás.[1]

4.- Actitud.

Una actitud cristiana respecto de Dios como propietario de todo y a nosotros mismos como administradores o **mayordomos**, guiará el modo en que usemos nuestros bienes.

La **mayordomía** cristiana es una experiencia creativa e individual. Cada creyente debe cumplir con el deseo de su corazón y hacerlo con alegría.

El acto de dar, enriquece al dador.[1]

26.- LA MAYORDOMÍA Y LA FAMILIA CRISTIANA

"

"...Estas palabras que te mando hoy... las repetirás a tus hijos... y a los hijos de tus hijos..."

La unidad de la familia descansa en su fuerza espiritual. Es por eso que el enemigo la ataca despiadamente, tratando de destruir su unidad, pues sabe que a la familia unida jamás la podrá vencer. Nosotros debemos defender a la familia como un baluarte de fe y pilar de la sociedad.

La familia, creación de Dios, es la responsable de trasmitir el mensaje de generación en generación. Por ello, igual que en los tiempos antiguos, hoy el mensaje del evangelio debe ser transmitido de padres a hijos y a nietos. Esto sólo es posible con una **mayordomía** que alcance también a los miembros de la familia e interpreten correctamente el papel de **mayordomos** que tienen frente a la voluntad del Señor.

Los padres tienen una importante tarea, lograr que el núcleo familiar sea enteramente ganado para el Señor. Cuando esto se alcanza, la iglesia como consecuencia de la comprensión de parte de los padres de su responsable **mayordomía,** consigue un afianzamiento de sus actividades. A mejores familias, mejores iglesias.

Debemos ser conscientes que las bendiciones que la iglesia reclama a través de los dones, talentos, capacidades, conocimientos y bienes, primero van a la familia y de allí a la iglesia. Es por eso que la iglesia debe velar para que las familias sean responsables de su rol en la educación de sus hijos y a la vez se sientan responsables de transmitir esas bendiciones a la iglesia.

Bendita la familia cuyos padres e hijos viven en armonía con el Señor. Bendita la iglesia que puede contar con esta clase de familias. Su progreso está asegurado.

BOSQUEJO 26.1.
TÍTULO DEL MENSAJE:
La familia depositaria del testimonio cristiano
Pasaje Bíblico: Deuteronomio 6:1-9; Josué 24:14-15

Introducción:

La familia es atacada por todos los sectores de la sociedad enfermiza que nos rodea. El enemigo necesita destruir la unidad de la familia para seguir imponiendo sus desviaciones. Como cristianos debemos reaccionar y defender a la familia como un baluarte de la fe, el amor y la unidad.

1.- La responsabilidad de la trasmisión de la fe fue dada a la familia.

a) Dios encomendó a la familia para que fuera la guardiana de la fe.

b) Las disposiciones y recomendaciones de la ley debían ser transmitidas de padres a hijos y a los hijos de los hijos.

c) La responsabilidad no fue dada a quienes practicaban el servicio en el templo, sino a la familia.

2.- Responsabilidad de los padres.

a) La responsabilidad en forma directa es hacia los padres. Ellos debían transmitir la fe en Dios a sus hijos.

b) Pero como la ordenanza decía "...y a los hijos de tus hijos...", los abuelos también estaban incluidos.

c) Sin duda alguna toda la familia estaba envuelta en esta responsabilidad de la trasmisión de la herencia.

3.- La familia una unidad espiritual.

a) La familia se convertía en una unidad espiritual. Un templo en el hogar.

b) Esta situación fortalecía la relación entre los miembros de la familia y la de ellos para con Dios.

c) Dios quiso darle a la familia la unidad indestructible por medio de la cual la fe era mantenida y trasmitida de generación en generación. Se mantenía la trilogía: Dios - Padres - Hijos.

4.- La mayordomía en la familia una garantía para la fe.

a) Esta misma situación es mantenida en la actualidad. La familia debe trasmitir la fe de generación en generación.

b) La iglesia ha de confirmar lo que se enseña en el hogar; pero nunca ha de asumir el rol que le corresponde a los padres.

c) Por este motivo, los padres deben ser fieles **mayordomos**, responsables de influenciar en sus hijos para que la verdad de Dios pueda pasar de generación en generación y luchar para salvaguardar la unidad de la familia.

Conclusión:

Es la responsabilidad de todo creyente luchar para salvar la unidad de la familia. La iglesia debe educar a las familias para que sean defensoras del baluarte que Dios ha constituido para la propagación de la fe y la educación de los hijos. Hacer esto será demostración de una **mayordomía** sensata y responsable.

BOSQUEJO 26.2.
TÍTULO DEL MENSAJE:
Nuestros hijos un desafío misionero
Pasaje Bíblico: Josué 4:20-24; Salmos 127:3;
Salmos 128:1-6; Salmos 144:12; Hechos 2:38-39

Introducción:

El primer campo misionero para el creyente es el hogar. No podemos desperdiciar esta hermosa oportunidad de ganar a nuestros hijos para el Señor. Muchas veces somos muy activos en la iglesia y sin darnos cuenta descuidamos la educación espiritual de la familia. Debemos tener mucho cuidado, pues en nuestras iglesias la experiencia nos ha enseñado que muchos hijos se han apartado del Señor.

1.- Un campo misionero en el hogar.

a) No hay tarea más importante en el hogar que ganar a nuestros hijos para el Señor.

b) Para ello, aparte de nuestra enseñanza de la palabra de Dios, los hijos tienen que ver que los padres viven lo que enseñan.

c) Ninguna ocupación o tarea en la Obra debe ser más importante que la de evangelizar a nuestros hijos.

2.- Los padres mayordomos fieles de las misiones.

a) En la educación de la vida espiritual de nuestros hijos en el hogar, nunca debe faltar el sentido de responsabilidad para con la obra misionera.

b) Es de los hogares cristianos de donde surjen en su mayoría los hombres y mujeres que irán a la obra misionera o cooperarán de alguna manera con ella.

c) A través de una **mayordomía total** las familias podrán convertirse en apoyo importante para las misiones.

3.- La educación espiritual de nuestros hijos una responsabilidad de los padres.

a) La iglesia podrá cooperar en la educación espiritual de nuestros hijos, pero nunca debemos transferir a la iglesia la responsabilidad que Dios nos dio como padres.

b) Algunos padres pretenden que la educación cristiana de la iglesia se encargue de hacer lo que a ellos les corresponde enseñar en el hogar.

c) La labor de la iglesia es secundaria y apuntalará lo que nosotros hagamos en el hogar.

4.- La educación espiritual familiar es garantía de unidad.

a)   No hay nada que una más a una familia que el crecimiento espiritual en el hogar logrado por la enseñanza
y ejemplo de los padres.

b)   Esto hará que luego los hijos de nuestros hijos sean
educados también en el mismo sistema con que nosotros
educamos a nuestros hijos. Seremos así abuelos felices.

c)   Dios debe ser el "huésped invisible de nuestro hogar,
oyente silencioso de nuestras conversaciones".

Conclusión:

La iglesia que cuenta con hogares responsables es la iglesia
que progresa. Debe ser una motivación de la iglesia formar
hogares que puedan ser baluartes en la obra. Los padres que
han educado a sus hijos en la vida cristiana no se arrepentirán
jamás. Necesitamos una **mayordomía** responsable en los padres y en los líderes de la iglesia para que podamos contar con
un espíritu misionero activo y agresivo.

BOSQUEJO 26.3.
TÍTULO DEL MENSAJE:
La familia cristiana y la iglesia
Pasaje Bíblico: Proverbios 22:6; Mateo 28:18-20;
Juan 3:14-16

Introducción:

La iglesia que desee contar con creyentes que colaboren
con su ministerio debe prestar atención a la educación de las
familias. Del seno familiar han de surgir los valores humanos
y económicos indispensables para el desarrollo de la Obra.

**1.- Hogares firmes espiritualmente afianzan
la tarea de la iglesia.**

a)   Una iglesia se siente respaldada en su ministerio con
hogares bien formados.

b) Una familia firmemente desarrollada en la fe cristiana es una ayuda inestimable para la iglesia.

c) Con padres responsables la iglesia contará también con hijos responsables.

2.- La familia ordenada económicamente asegura cooperación económica a la iglesia.

a) La familia es una unidad espiritual y económica. Bien desarrollada es garantía de seguridad y prosperidad.

b) Cuando esas condiciones se dan en las familias de la iglesia están asegurados los recursos económicos que la iglesia necesita.

c) La economía de la iglesia descansa en hogares donde los valores espirituales y económicos son distintivos claros de ordenamiento familiar.

3.- La iglesia debe preocuparse por la educación espiritual y económica de las familias.

a) Por estas razones la iglesia debe ocuparse para que las familias sean educadas correctamente en la Palabra de Dios.

b) Debe predicarse con claridad la responsabilidad de los padres en la educación espiritual y en el ordenamiento económico de sus familias siempre en acuerdo con la Palabra de Dios.

c) De esa manera afianzaremos la unidad de la familia y la defenderemos de los ataques del enemigo.

4.- La mayordomía, aliada de la familia para servir a la iglesia.

a) La **mayordomía** cristiana es la base que permite a los padres e hijos desarrollarse de forma tal que puedan desempeñarse en la vida con sabiduría.

b) La iglesia debe enseñar, predicar y vivir una **mayordomía** total que permita a las familias crecer en la gracia de dar.

c) La enseñanza de la **Mayordomía Total** hará posible iglesias fuertes como consecuencia de la consolidación de la vida familiar sobre la base del desarrollo espiritual y el ordenamiento económico.

Conclusión:

El pastor y los líderes de las iglesias han de prestar especial atención a la educación espiritual y al ordenamiento económico de las familias si es que desean crecer como Dios espera. Ellos deben ser ejemplo a las familias de la iglesia.

ILUSTRACIONES Y AYUDAS: Bosquejos 26.1 al 26.3.

1.- La importancia de educar a los hijos.

Nunca podré olvidar la educación que mis padres me dieron relacionada con la Palabra de Dios. Posiblemente en su momento no supe apreciarla, pero luego siendo mayor, agradecí siempre al Señor por la preocupación de mis padres para que aprendiéramos del amor de Dios.

Cuando formé un hogar, junto con mi esposa nos preocupamos por educar cristianamente a las hijas que Dios nos dio. En ese sentido debo reconocer la dedicación de mi esposa. Hoy nos gozamos de ver a nuestros hijos y nietos recibiendo la herencia bendita de la Palabra de Dios.

No fue fácil, pero tampoco imposible. No quiero ser ejemplo, simplemente lo menciono para confirmar que se puede y se debe. Necesitamos muchas oraciones, tiempo, dedicación y amor por nuestros hijos. Antes que grandes hombres del mundo o la sociedad, los preferimos salvos en Cristo. Luego que lleguen a ser lo que Dios espera de ellos.

Quisiera animar a los padres para que cumplan con el mandato del Señor. Quisiera animar a las iglesias para que transmitan estos conceptos a los padres. Quisiera que los pastores enseñen estas verdades a los padres. Por amor a nuestros hijos, por amor al Señor, por amor a la Obra.[1]

2.- La educación de los hijos en la mayordomía.

Dentro de la educación cristiana, debemos preocuparnos por la educación de los hijos en la **mayordomía**. Para ello, los padres tenemos que ser ejemplo permanente. No podemos convencerlos con palabras sino con hechos. Los hijos serán lo que ven hacer a su padres. No olvidemos esta verdad. No serán nuestros hijos diezmeros, si no lo somos nosotros los padres.

Nuestra educación en la mayordomía debe ser hasta en lo más mínimo. Si le damos un peso a nuestro hijo para golosinas, debemos recordarle que de él son sólo noventa centavos, diez centavos son del Señor y él debe llevarlos el domingo a la iglesia y ponerlos en la ofrenda.

De otra manera puede ocurrir lo que le pasó a un niño que la madre le habia dado dos monedas de un peso. Una era para él y la otra para la ofrenda en la escuela dominical. El niño iba jugando y saltando por la calle y en un descuido se le cayeron las monedas, una la recuperó y la otra no pudo, pues se fue por la rejilla del agua en la alcantarilla. Con una sola moneda en la mano, miró hacia el cielo y dijo:

—Qué pena Señor, se perdió tu moneda.

Lo correcto hubiera sido decir:

—Señor, perdí una moneda, la que queda será mitad para cada uno.[1]

3.- ¿Se compra la felicidad?

Es criterio del mundo de nuestros días, de que todo se consigue con dinero. Quizás, casi todo, menos la felicidad. Se dice también que el dinero no da la felicidad, pero que ayuda a conseguirla. Eso es verdad solamente cuando no se tiene lo indispensable para vivir, entonces el dinero es un instrumento necesario para subsistir, pero no para ser feliz. Basta con oír a los que teniendo mucho dinero se lamentan de no ser felices:

- Con dinero podemos comprar una casa —pero no un **hogar.**
- Con dinero podemos comprar una cama —pero no el **sueño.**

- Con dinero podemos comprar un medicamento —pero no la **salud.**
- Con dinero podemos comprar la comida —pero no el **apetito.**
- Con dinero podemos comprar un acto sexual —pero no el **amor.**
- Con dinero podemos comprar una cruz —pero no la **fe.**
- Con dinero podemos comprar un espacio en el cementerio —pero no el **cielo.**
- Con dinero podemos comprar muchas cosas, hasta droga —pero no la **felicidad.**

27.- LA MAYORDOMÍA DEL DAR GENEROSO

"...Dios ama al dador alegre..." Una de las alegrías del creyente es crecer en la Gracia de Dar.

Llegar a la casa de Dios con alegría llevando nuestros diezmos y ofrendas es una de las experiencias más gratas en la vida cristiana.

El ejercicio de una **mayordomía** de los bienes nos permitirá comprender cuán importante es para la vida del creyente, llegar a la casa de Dios con gozo ofrendando según hayamos sido prosperados. Por eso recomendamos que la ofrenda debe ser recogida en el momento cumbre de la adoración, pues es el instante cuando reconocemos a Dios como el dador de toda dávida y el proveedor de nuestros bienes.

Predicando, enseñando y viviendo una **mayordomía total**, lograremos que nuestros hermanos sean instruidos en esta importante responsabilidad como **mayordomos,** viviendo en plenitud la vida cristiana y gozando las bendiciones de Dios. Cuando no lo hacemos estamos impidiendo a nuestros hermanos crecer en esta maravillosa gracia, y privándoles de que ellos puedan recibir más bendiciones de parte de Dios. Lejos de ayudarles les estamos perjudicando.

Vivamos una vida responsable y logremos que todos los hermanos de la iglesia puedan ser verdaderos **mayordomos,** creciendo permanentemente en la gracia de dar con alegría.

BOSQUEJO 27.1.
TÍTULO DEL MENSAJE:
Dios ama al dador alegre
Pasaje Bíblico: 1ª Crónicas 29:10-16; 2ª Corintios 9:7

Introducción:

Necesitamos destacar en todo momento la importancia de la ofrenda. No debe ser algo que se nos impone sino la respuesta alegre del creyente que ha conocido al Dios proveedor. Tiene singular importancia como parte de la adoración y debe recogerse con todo respeto y dedicación.

1.- Necesitamos crecer en la gracia de dar.

a)   Es un imperativo para todo creyente.

b)   Lo recibido de parte de Dios debe motivarnos a dar.

c)   Dar es expresión de amor.

2.- Diezmos y ofrendas dados con alegría.

a)   Los diezmos y las ofrendas son expresiones de amor.

b)   La dimensión de nuestra entrega debe ser motivada por el amor que Dios tuvo hacia nosotros.

c)   Cuando eliminamos la necesidad y la tristeza, fluye la alegría.

3.- La ofrenda reconocimiento de la provisión de Dios.

a)   "...sólo lo recibido de tu mano te damos..."

b)   Lo que tenemos es por obra y gracia de Dios.

c)   Nuestras ofrendas deben ser alegres porque reconocemos a Dios como su proveedor.

**4.- La ofrenda, el momento culminante
del culto de adoración.**

a)   Si el dador está alegre, también debe ser alegre y espiritual el momento de la entrega de la ofrenda.

b)   En el desarrollo del culto, la ofrenda debe ser recogida en el momento de la adoración.

c)   Un **mayordomo** responsable siempre estará alegre.

Conclusión:

Debemos enseñar a los miembros de las iglesias el privilegio que es participar de la ofrenda, reconociendo la soberanía de Dios sobre nuestras vidas. También debemos enseñar que la alegría en el momento de la ofrenda es como consecuencia de recordar que Dios es el proveedor de toda dádiva y que lo que llevamos ante su altar es sólo parte de lo mucho que Él nos ha dado. Esta es una adecuada **mayordomía** de nuestras vidas.

BOSQUEJO 27.2.
TÍTULO DEL MENSAJE:
Triunfando sobre la avaricia
Pasaje Bíblico: Lucas 12:13-21

Introducción:

La avaricia es un pecado. En la Palabra de Dios se nos dice que los avaros no heredarán el reino de los cielos. Por lo tanto debemos advertir a nuestros hermanos del peligro que corren aquellos que son propensos a la avaricia.

1.- La avaricia, resultado de nuestra falta de fe en Dios.

a) Es avaro quien ama más las riquezas que a Dios.

b) Es avaro quien sin ser rico pone su confianza en los valores materiales.

c) Es avaro quien no confía en el poder de Dios.

2.- El avaro no entrará en el reino de los cielos.

a) Como el avaro pretende tener dos señores, Dios no lo aprueba.

b) El avaro no tiene amor por el prójimo. Piensa en sí mismo. Dios lo rechaza.

c) El avaro sólo pretende su enriquecimiento. El reino de los cielos no es para él.

3.- La gracia de dar vence a la avaricia.

a)   Hay un sólo camino para salir de la avaricia. Reconocer al Dios único.

b)   La gracia de dar, sabiduría del **mayordomo** fiel, derrota la avaricia.

c)   Se crece en la gracia de dar a través de la experiencia diaria de la entrega al prójimo.

Conclusión:

El rico insensato (avaro por naturaleza) perdió todo por no haber crecido en la gracia de dar. Lo que él consideró su tesoro fue su perdición. Hubiera sido más feliz dando que recibiendo, pero su avaricia no le permitió aprender la lección. Seamos nosotros correctos **mayordomos** de los bienes que Dios nos brinda y aprendamos a compartirlos con aquellos que lo necesitan.

BOSQUEJO 27.3.
TÍTULO DEL MENSAJE:
La ley de la naturaleza
Pasaje Bíblico: Lucas 8:4-15; 2ª Corintios 9:6

Introducción:

La naturaleza fue creada por Dios, y por ese motivo tiene el mismo espíritu del dar generoso. Es un gran ejemplo para nosotros y como fieles **mayordomos** debemos imitarla en todos los actos de nuestra vida.

1.- La naturaleza responde según nuestra confianza.

a)   La naturaleza no responde por su voluntad sino en base a nuestra confianza.

b)   Más semillas le confiamos a la tierra, más frutos nos entrega.

c)   Menos semillas le confiamos, menos frutos nos da.

2.- La naturaleza se basa en el dar generoso.

a)   Su entrega siempre es mucho más de lo que nosotros depositamos en ella.

b) Su principio está basado en el dar abundante y generoso.

c) Es el mismo principio de Dios para con nuestra confianza.

3.- La naturaleza es el ejemplo a imitar.

a) Debemos asimilar el ejemplo de la naturaleza.

b) Nuestra entrega será recompensada con abundante generosidad.

c) Nuestra garantía es que Dios es más generoso aún que la naturaleza que Él creó.

Conclusión:

Llevemos adelante la enseñanza de una **mayordomía** agresiva y positiva, mostrando a los creyentes que *"...Dios es más que poderoso para hacer que abunde en nosotros toda gracia, de manera que teniendo todo lo suficiente, podamos abundar para toda buena obra..."* Paráfrasis de 2ª Corintios 9:8.

ILUSTRACIONES Y AYUDAS: Bosquejos 27.1 al 27.3.

1.- La historia de una moneda.

Esta es la historia relatada por una monedita de veinte centavos.

—Tengo una larga historia, pero voy a contar la que recientemente he vivido con mi último dueño:

»Salí esa mañana en el bolsillo de mi dueño acompañado por otras monedas de diverso valor. El primer lugar que visitó mi dueño fue la peluquería. Allí después de ser atendido quiso utilizarme para darle una propina al peluquero, pero desistió pues pensó que sería muy poco y yo volví al bolsillo. Más tarde fue a un bar a tomar un café con sus amigos. Allí me volvió a tomar para dársela al mozo, pero también desistió, pues pensó que le considerarían un tacaño y me devolvió al bolsillo. Al mediodía fue a almorzar en un restaurante y allí también me tomó para darle una propina al mozo, pero pensó que dirían que era un avaro y me volvió al bolsillo. Por la tarde descansó en su casa y a la noche fue al templo. Allí en el momento de la ofrenda me tomó y no tuvo ningún problema en depositarme en el plato«.

¡Cuánta realidad hay en este relato! Muchos olvidan el dar generoso y por ese motivo no reciben las bendiciones que esperan. ¡Cuidado![3] (adaptado).

2.- Espíritu del dar generoso.

R.G. La Tourneau, un hombre cristiano, de negocios, bien conocido en el mundo contemporáneo, ha sido siempre muy generoso en sus ofrendas para el Señor. En cierta ocasión, respondiendo a una pregunta que se le realizaba en una entrevista dijo: —No es cuestión de cuánto de mi dinero voy a darle a Dios, sino cuánto del dinero de Dios voy a guardar para mí—. Este es el espíritu del dar generoso.[3] (adaptado).

3.- Regalos.

- Lo que tú eres te lo regala Dios.
- Lo que tú haces de ti mismo es tu regalo a Dios.[3]

4.- Compartir.

- Si tienes un regalo, no lo ocultes.
- Si tienes una canción, cántala.
- Si tienes una riqueza, úsala.
- Si tienes talento, ejercítalo.
- Si tienes amor, bríndalo.
- Si tienes tristeza, sopórtala.
- Si tienes felicidad, compártela.
- Si tienes una religión, vive y obra según ella.
- Si tienes una oración, dísela al Señor.
- Si tienes una palabra dulce, no la retengas.

Repartamos por el mundo lo que Dios nos dio para compartir.[1]

28.- LA MAYORDOMÍA Y EL PODER DE DIOS

"...Poderoso es Dios..." Esta confirmación de la Palabra de Dios no siempre es tenida en cuenta en nuestras iglesias y/o organizaciones cristianas. La mentalidad humana siempre está dispuesta a pensar en "cuánto se tiene", "tanto se puede".

Como consecuencia de ello, muchos proyectos muy interesantes fueron dejados de lado porque no se contaba con los recursos necesarios. Obramos en ese sentido igual que los ateos o los que adoran a otros dioses. ¿No tenemos nosotros al Dios verdadero? ¿Acaso no es Él poderoso? ¿Por qué no lo tenemos en cuenta y le damos lugar para que Él obre? ¿Creemos que Él no puede? ¿Estamos limitando a Dios? ¡Qué barbaridad!

Necesitamos recordar que Dios quiere que seamos **mayordomos** de todo lo que Él ha puesto a nuestra disposición. Una **mayordomía total** bien enseñada y practicada nos ayudará a entender que Él puede ayudarnos a lograr aun aquellas cosas que parecen imposibles. Nos hará ver que hemos puesto nuestra confianza en un Dios de todo poder, a quien debemos dejarle actuar entre nosotros para que Él pueda manifestar Su poder.

No hacerlo es disminuir a Dios. Es un insulto a su capacidad. Por ello cada desafío que hagamos al Dios de poder debe ser efectuado de acuerdo a su voluntad y a sus planes, y únicamente para su honra y gloria.

BOSQUEJO 28.1.
TÍTULO DEL MENSAJE:
Dios debe estar presente en todos los cálculos
Pasaje Bíblico: Lucas 14:28-32; Efesios 3:20; Filipenses 4:13

Introducción:

Muchas veces cuando hacemos nuestros cálculos o proyectamos el presupuesto de la iglesia limitamos las acciones debido a que los cálculos los hacemos en base a las posibilidades que nosotros vemos como humanos. Nos olvidamos del poder de Dios para intervenir en nuestro auxilio.

1.- Cálculos humanos.

a) Los cálculos humanos son limitados. Sólo llegan hasta donde podemos pensar, ver o tener.

b) La prudencia nos lleva a no gastar más allá de lo que tenemos o pensamos tener.

c) Obramos en muchos casos como los ateos o los que adoran a otros dioses.

2.- Cálculos contando con el poder de Dios.

a) Los cálculos contando con el poder de Dios son ilimitados. Llegan hasta donde Dios puede.

b) Debemos tener en cuenta que nosotros cuando contamos lo que tenemos, debemos agregar que tenemos a Dios y su poder con nosotros. Eso modifica todo cálculo.

c) La premisa debe ser: Lo que nosotros tenemos o podemos, más lo que Dios tiene y puede.

3.- No nos equivoquemos. Dejemos lugar para que Dios obre.

a) Corremos el riesgo de no darle lugar a Dios en los planes.

b) De esa manera es inútil que luego oremos para que Dios bendiga lo que vamos hacer, pues es sólo lo que nosotros pensamos que podemos, como lo haría un ateo o cualquier hombre que adora a otros dioses.

c) El poder de Dios es evidente en toda su Palabra, no lo desperdiciemos.

Conclusión:

¡Si los seres humanos que viven sin Dios supieran de qué pueden contar con el poder de Dios, no lo desperdiciarían! ¡Lo aprovecharían al máximo! No seamos necios, como buenos **mayordomos** que deseamos ser, hagamos uso de este gran recurso que disponemos para el bien de la Obra del Señor.

BOSQUEJO 28.2.
TÍTULO DEL MENSAJE:
El poder de Dios, base para el progreso de la obra
Pasaje Bíblico: 2ª Corintios 9:8; 1ª Crónicas 29:12;
Efesios 3:20; 1ª Tesalonicenses 1:2-10

Introducción:

Contamos con el auxilio de nuestro buen Dios para realizar una obra positiva en su nombre; tratemos de no desperdiciarlo. Cuando hagamos planes recordemos que tenemos a Dios y su poder con nosotros.

1.- La Obra depende de cómo usemos el poder de Dios.

a) Los creyentes contamos con un aliado importante para la Obra, el poder de Dios.

b) Lamentablemente no siempre lo tenemos en cuenta. A veces no le damos lugar a Dios para obrar en medio nuestro al no tenerlo en cuenta en los cálculos.

c) Por eso no logramos muchas veces el éxito que podríamos alcanzar.

2.- Nuestras concepciones pueden limitar la obra de Dios.

a) Dios es un Dios de poder. Quiere grandes cosas para su Obra. Nosotros solemos estar enfermos de pequeñas cosas.

b)   Cuando planeamos en su nombre, debemos hacerlo de acuerdo a su grandeza y a su poder.

c)   Tenemos la costumbre de "achicarnos" en nuestros planes y muchas veces "achicamos" a Dios.

3.- Seamos mayordomos responsables, dejemos a Dios lugar para obrar.

a)   Cuando hagamos planes para la Obra seamos optimistas. Tengamos en cuenta el poder de Dios en los cálculos.

b)   Pensemos siempre en la máxima expectativa y busquemos llegar lo más lejos posible. Él puede.

c)   Llevemos adelante la Obra del Señor con el ímpetu y el avance que un Dios de todo poder desearía. Sólo así conseguiremos su ayuda.

Conclusión:

Si obramos de esta manera, sin duda alguna el alcance de nuestro ministerio aumentará notablemente, no por nuestros méritos, sino por el poder de Dios obrando en medio nuestro. Como fieles **mayordomos** no nos olvidemos de planear las tareas contando con el poder de Dios. Sólo así lograremos el progreso que Dios desea para su Obra.

BOSQUEJO 28.3.
TÍTULO DEL MENSAJE:
No podemos desperdiciar tan valioso aliado
Pasaje Bíblico: 2ª Corintios 9:8; Filipenses 4:19;
2ª Timoteo 1:7-12

Introducción:

Ningún pueblo en la historia de la humanidad ha tenido el privilegio del pueblo de Israel; ver de cerca el poder Dios. Al entrar nosotros como gentiles al Reino de los Cielos contamos con el mismo poder de Dios a nuestra disposición.

Seamos prudentes **mayordomos** y utilicemos en nuestros planes esta bendición tan grande.

1.- El poder de Dios actúa en nosotros.

a) El apóstol Pablo ha hecho referencia en muchos pasajes de la Palabra al poder de Dios.

b) Lo menciona como algo que lo ayuda en su ministerio.

c) Luego hace referencia al poder de Dios que actúa en él.

2.- El poder de Dios aumenta nuestras posibilidades.

a) Al igual que el apóstol Pablo nosotros podemos contar con el poder de Dios.

b) Eso hace que nuestras posibilidades se acrecienten.

c) Podemos contar con recursos que el mundo no tiene.

3.- No debemos actuar sin tener en cuenta el poder de Dios.

a) Cada plan que estemos desarrollando debe tener en cuenta como aliado el poder de Dios.

b) Él forma parte de nosotros, su Espíritu Santo nos anima y nos alienta.

c) No podemos desperdiciar un aliado tan valioso. Ningún otro pueblo tiene semejante poder a su disposición.

Conclusión:

La Obra del Señor debe estar siempre dispuesta a realizar grandes cosas, pues Él es grande y poderoso. No debemos disminuir su poder. Tratemos de enfermarnos de grandes cosas. ¡Somos hijos de Dios! no simples humanos. Seamos **mayordomos** responsables y vivamos una vida victoriosa en Cristo llevando a su Obra de triunfo en triunfo para la gloria de Dios.

ILUSTRACIONES Y AYUDAS: Bosquejos 28.1 al 28.3.

1.- Nuestra fuerza.

En las tiras cómicas, Popeye cree que su fuerza proviene de las espinacas y por eso las come con entusiasmo. Otras personas creen que sus fuerzas están en la educación, en la posición, en la experiencia, en los contactos personales, o en sus recursos económicos. Todos están equivocados. En el salmo 84.5, dice: *"Bienaventurado el hombre que tiene en ti sus fuerzas"*.

Nuestro poder no proviene de lo que hacemos, de lo que somos, de lo que conocemos, de lo que poseemos, el poder verdadero está en Dios. Cuando unimos al poder de Dios las virtudes que tenemos, entonces es cuando éstas cobran verdadero valor y tienen sentido. Sin el poder de Dios nada podemos hacer.

Cuando en nuestras iglesias queremos movernos de acuerdo a nuestras capacidades y posibilidades, fracasamos, necesitamos unir a ellas el poder de Dios. Sólo así seremos triunfadores.[4] (adaptado).

2.- La fe del joven David.

Una experiencia gratificante del poder de Dios, es el caso del joven David frente a Goliat. Era una lucha desigual, Goliat era un gigante, David un jovencito sin mayor fuerza física. Sus hermanos trataron de disuadirle diciendo que era imposible luchar contra el gigante. David insistió, él sabía que había desigualdad en la lucha, que tenía solo una honda y unas piedras y el gigante tenía una tremenda espada. Todo estaba en contra de David. Nadie hubiera apostado a él.

Pero David sabía que su fuerte no era la honda ni las piedras, sino el poder de Dios que estaba con él. Es por eso que en el momento de lanzar la piedra lo hizo en el nombre y el poder de Dios. Y contra todo cálculo humano, David venció. El poder de Dios pudo más que la vanagloria del gigante y su espada.[1]

3.- Elías solo, derrota a 450 profetas falsos.

Este es otro caso del poder de Dios en acción. Elías estaba solo y quería mostrar el poder de su Dios. Le dio a sus enemigos todas las ventajas y el tiempo necesario, pero sus habilidades, danzas y gritos a sus dioses falsos no resultaron.

Elías oró al Dios de los cielos pidiendo que demostrara a todos su poder, y el fuego cayó sobre el holocausto y lo consumió. Dios puede, nosotros debemos permitirle que obre. Muchas veces nuestras limitaciones y falta de fe impiden que Dios obre. Eso no disminuye su poder, sólo disminuye nuestra capacidad de acción. Dios siempre es el mismo, poderoso y victorioso.[1]

29.- LA MAYORDOMÍA Y
EL PODER MULTIPLICADOR DE DIOS

"...*Proveerá y multiplicará vuestra sementera...*". Dios no es sólo un Dios de poder, sino que también es un Dios de poder multiplicador. Este es otro secreto que debemos reconocer y tener en cuenta en nuestra tarea como **mayordomos.** Ignorar esta capacidad de Dios es limitar las posibilidades de acción de su Obra.

Por naturaleza solemos tener la intención de "achicar" a Dios. Lo vemos como limitado por nuestra comprensión y no alcanzamos a darnos cuenta de la inmensidad de su poder multiplicador. Es por eso que muchas veces fracasamos en nuestros intentos de progreso de la Obra. Las iglesias hacen sus planes guiados por los pensamientos humanos y aún cuando algunos se atreven a pensar en el Dios de poder, al hacer sus cálculos se olvidan del Dios de **poder multiplicador**.

Necesitamos vivir permanentemente dentro del concepto de una **Mayordomía Total**, de manera que en todos los planes que hagamos tengamos en cuenta al Dios de poder multiplicador y le demos lugar para que Él obre. Entonces veremos maravillas y nos sorprenderemos del alcance que podemos tener como **mayordomos** de un Dios de tremendo poder multiplicador.

BOSQUEJO 29.1.
TÍTULO DEL MENSAJE:
No sólo poder, sino poder multiplicador
Pasaje Bíblico: Juan 6:1-15

Introducción:

Es tan grande nuestro Dios que no sólo tiene poder, sino que también tiene un poder multiplicador. Este es otro factor a tener en cuenta. Muchas cosas podríamos haber realizado en la Obra del Señor si hubiéramos tenido en cuenta este poder multiplicador de Dios.

1.- Más que simplemente poder.

a) El sólo hecho de tener en cuenta que Dios es un Dios de poder aumenta nuestras posibilidades de realización.

b) Pero tenemos la bendición de que también es poder multiplicador lo cual acrecienta aún más las posibilidades de realización.

c) Sólo fueron necesarios cinco panes y dos peces para que pudieran alimentarse 5.000 personas y aún sobró.

2.- Ese poder multiplicador debe tenerse en cuenta.

a) Si tenemos ese poder a nuestra disposición debemos aprovecharlo.

b) Dios necesitó solamente lo que el niño tenía en sus manos. Lo mismo ocurre con nosotros.

c) Lo demás corre por su cuenta. Para nosotros es un imposible, pero para Dios no.

3.- Debemos dar lugar al poder multiplicador de Dios.

a) No es fácil de lograrlo porque nosotros tenemos nuestra mente finita y se opone a todo lo que sea por sobre nuestra forma de pensar. No concebimos lo imposible.

b) Se requiere un desarrollo espiritual bien amplio y una gran participación del Espíritu Santo para que por fe aceptemos estas evidencias del poder multiplicador de Dios.

c) A través de una plena **mayordomía** podremos llegar a comprender que cuando planeamos algo para el Señor, sólo importa que entreguemos lo que tenemos en nuestras manos. Lo demás lo hará el poder multiplicador de Dios.

Conclusión:

La iglesia cuenta con una ayuda extraordinaria de parte de Dios a través de su poder y su poder multiplicador. Ello debe motivarnos para emprender grandes cosas para Dios. Lamentablemente muchas iglesias no han despertado a esta hermosa realidad de saber que contamos con un Dios todopoderoso.

BOSQUEJO 29.2.
TÍTULO DEL MENSAJE:
¡Con tanto poder! ¿Qué hacemos?
Pasaje Bíblico: Marcos 8:1-10; Marcos 8:14-21

Introducción:

¿Es la iglesia representativa del siglo XX un claro exponente del poder multiplicador de Dios? ¿Ha avanzado la Obra en todo el mundo en relación a ese poder de Dios? Creo que debemos mirarnos en el espejo de la Palabra de Dios y recuperar terrenos que hemos perdido por nuestra temeridad a enfrentar grandes cosas para Dios.

1.- ¿Tenemos en cuenta el poder multiplicador de Dios en nuestros cálculos?

a) Lamentablemente la respuesta en muchos casos es no.

b) Nos parece que lo que no alcazamos a comprender con nuestro razonamiento nos resulta inalcanzable.

c) Queremos ser realistas y sin darnos cuenta nos convertimos en pesimistas.

2.- ¿Pensamos en lo que Dios puede hacer a través de nosotros?

a)   No sólo puede Dios hacer maravillas por su cuenta. Él desea hacerlos también por tu intermedio.

b)   ¿Te das cuenta del alcance de tu vida como miembro de la iglesia si el poder multiplicador de Dios obrara en ti?

c)   ¿Te imaginas lo que Dios podría hacer a través de todos los miembros de la iglesia con su poder multiplicador?

3.- ¿No cometemos el error de los discípulos?

a)   Los discípulos se asustaron cuando se quedaron con un solo pan para la cena.

b)   Jesús les hablaba de un tema espiritual pero su problema material no les permitía entender.

c)   ¡Tenían con ellos a Jesús con el poder multiplicador, quien les podía llenar la barca de pan y sin embargo estaban apenados por falta de pan!

4.- Disciplinemos nuestra mayordomía para ser más eficientes.

a)   ¿A nosotros nos puede pasar lo mismo que a los discípulos. ¿No tuvimos temor cuando en casa había un "solo pan"? ¿Y Dios? ¿Y su poder multiplicador? ¿Dónde quedó?

b)   ¿No nos pasa lo mismo en la iglesia, cuando temblamos porque hay un "solo pan"?

c)   ¡Cuidado! No demos lugar al diablo con sus dudas. Tengamos fe y confianza en el Dios de todo poder y no ignoremos su participación en los planes y proyectos. ¡Hay que dar lugar a Dios y su poder multiplicador!

Conclusión:

¡Cuánta falta hace que recordemos estas verdades a nuestros hermanos! La iglesia cumpliría con mayor agresividad su tarea en la tierra si todos tuviéramos en cuenta estas ayudas que Dios puede darnos por medio de su poder multiplicador. Un fiel **mayordomo** nunca debe ignorar esta verdad.

BOSQUEJO 29.3.
TÍTULO DEL MENSAJE:
Nadie tiene semejante poder a su disposición
Pasaje Bíblico: Hechos 1:8; Romanos 1:16-17;
1ªCorintios 1:18; Juan 6:1-15.

Introducción:

Los creyentes en Cristo Jesús tienen la bendición de contar con la asistencia del Espíritu Santo y con el poder multiplicador de Dios. Con estas posibilidades a su disposición pueden emprender grandes cosas para Dios.

1.- Un poder que supera a todos.

a) Nadie en la tierra tiene a su disposición un poder tan grande.

b) Nada debería detener la acción de la iglesia si cuenta con ese poder.

c) Un poder que Dios pone a disposición de su pueblo.

2.- El poder de Dios y el Espíritu Santo.

a) El poder multiplicador de Dios y la presencia del Espíritu Santo son más que garantías para emprender grandes cosas en la iglesia.

b) El poder multiplicador de Dios y la presencia del Espíritu Santo en la vida del creyente son garantías para asegurar una participación activa en la iglesia.

c) El poder multiplicador de Dios y el Espíritu Santo en la vida del creyente y de la iglesia son armas poderosas para emprender grandes empresas misioneras.

3.- Mayordomos de un poder sobrenatural.

a) Dios nos ha dado muchas bendiciones en la vida como creyentes.

b) Una de ellas es la de ser **mayordomos** de un poder tan amplio y completo.

c) Necesitamos sabiduría de lo Alto para ejercer esa **mayordomía** con éxito.

Conclusión:

El mundo está expectante queriendo ver a los cristianos obrando en medio de las tinieblas, dando un ejemplo del poder multiplicador del Dios al cual sirven. El Espíritu Santo está, el poder multiplicador también está, sólo hace falta que los creyentes asuman la responsabilidad de demostrar a través de una **mayordomía total** todo lo que Dios puede hacer a través de ellos.

ILUSTRACIONES Y AYUDAS: Bosquejos 29.1 al 29.3.

1.- Cinco panes y dos pececillos.

¿Seríamos capaces de pensar que con cinco panes y dos pececillos le daríamos de comer a 5.000 personas y que todavía sobraría? ¿Imposible, verdad?, sin embargo Dios lo hizo.

Un niño era el poseedor de esta pequeña porción de comida y no tuvo reparos en dárselos al Señor para que él efectuara la multiplicación. ¡Dios lo hizo!, pero necesitó de alguien que le posibilitara la tarea. ¡¿Se imaginan la tremenda experiencia de este niño?! Me parece verlo llegar a su casa a los gritos:

—¡Papá!, ¡mamá! miren lo que me pasó. Le di mi merienda a un señor que se dice el Cristo y la multiplicó para que comieran 5.000 personas... ¡Mamá, papá! miren, no me quitó la comida, aquí hay doce cestas, ayúdenme, yo no puedo traerlas todas.

Su experiencia fue inolvidable y seguramente este niño sería uno de los tantos que en Pentecostés entregaron su vida al Señor después que Pedro predicara.

El niño dio lo que tenía en su mano. Eso es lo que Dios reclama de nosotros, simplemente lo que tenemos en la mano, lo demás lo hace Él. A veces pensamos que es muy poco y rehusamos entregarlo y cometemos el gran error.

El poder multiplicador es atributo de Dios, lo que Él necesita es que nosotros nos pongamos a su disposición para que Él pueda realizar el milagro. Nosotros a veces quisiéramos ver el milagro primero, pero ese no es el camino del Señor.[1]

2.- Un solo pan.

El relato de Marcos 8:14-21, nos muestra que no es fácil reconocer el poder multiplicador de Dios. Sus propios discípulos estuvieron dudando. Miremos un poco las circunstancias. Antes de subirse a la barca Jesús había discutido con algunos Fariseos. En la barca, mientras Jesús descansaba, los discípulos descubren que ninguno había pensado en la comida para la cena, tenían sólo un pan.

Esta preocupación material les impide entender un problema espiritual como es el que Jesús les comenta sobre la levadura de los fariseos. Primera equivocación.

Creen que Jesús les habla de la levadura de los fariseos porque ellos no trajeron pan. Segunda equivocación.

La tercera equivocación es desastrosa. Jesús se entera de que estaban preocupados porque no tenían más que un pan y les recrimina que no recordaran su recientes milagros: [Comida para 5.000 personas con cinco panes y dos pececillos] [Comida para 4.000 personas con siete panes] y les hace recordar inclusive cuánto había sobrado en cada caso.

Como los discípulos no reaccionaron se enoja y les dice: "tienen ojos y no ven" "tienen oídos y no oyen" "¡Cuándo van a entenderme!". Indirectamente les está diciendo: "¿no estoy yo en la barca?", ¿quién soy para ustedes?, ¿por qué tanta preocupación porque tienen un solo pan? ¿No puedo yo multiplicar ese pan? ¿No puedo yo llenarles la barca de pan? ¡Cuándo van a entender!

Nosotros leemos este relato y decimos, ¡qué bárbaro! ¡Cómo se equivocaron los discípulos!, pero... hablando en confianza...; ¿cuántas veces nos temblaron las piernas porque en casa había un solo pan? ¿Cuántas veces en la iglesia anulamos preciosos proyectos, simplemente porque no había más que un pan? ¿Y Jesús? ¿Dónde quedó? ¿Qué hicimos con su poder multiplicador? Hacemos lo mismo que los discípulos, vemos lo que nos falta, pero no nos acordamos del Dios proveedor y multiplicador.[1]

30.- LA MAYORDOMÍA Y LA PROSPERIDAD

"...yo deseo que tú seas prosperado". La prosperidad es otra de las bendiciones de Dios. El **mayordomo** fiel siempre será prosperado pues esa es la voluntad de Dios.

La prosperidad de Dios no es algo instantáneo, ni debe presentarse como una atracción para venir al conocimiento de Jesucristo. La prosperidad del creyente es progresiva. El evangelio de Jesucristo nos ayuda a entender con claridad las cosas correctas de la vida y nos aleja de los vicios y costumbres que antes nos empobrecían. Ello va permitiendo gradualmente un mejoramiento de nuestra condición social y en poco tiempo observamos cómo Dios nos va prosperando.

Es el testimonio de todo cristiano cuando observamos la condición en que estábamos cuando Dios nos alcanzó y nuestra actual situación. La diferencia siempre en más, es la properidad que Dios promete al creyente. Esta prosperidad no es sólo económica, sino que también es cultural y espiritual.

La enseñanza de una **mayordomía total** permitirá al creyente comprender esta verdad que confirma la voluntad de Dios para que vivamos una vida victoriosa y nos alejará de utilizar a la prosperidad como "cebo" para atraer a las personas a Cristo.

Vivamos una vida en plenitud, prosperando de acuerdo al plan de Dios y utilicemos esa prosperidad para ser aún mejores **mayordomos.**

BOSQUEJO 30.1.
TÍTULO DEL MENSAJE:
El Dios de la prosperidad
Pasaje Bíblico: Josué 1:7; 2ª Crónicas 20:20;
2ª Crónicas 26:3-5; 3ª Juan 1-4

Introducción:

Si algo se nota en el nuevo creyente es el cambio que Dios produce en su vida. Al alejarse de los vicios y de una vida sin sentido, comienza a experimentar la prosperidad de Dios que se irá extendiendo por toda su vida si sigue fiel al Señor. Dios desea lo mejor para nosotros y procurará siempre bendecirnos abundantemente; para ello debemos demostrar a través de nuestra **mayordomía** la comprensión de que las bendiciones están sujetas a nuestra manera de vivir la vida cristiana.

1.- Dios siempre prosperó a su pueblo.

a)   El concepto de prosperidad lo vemos en la historia del pueblo de Israel.

b)   La prosperidad del pueblo siempre estuvo condicionada al cumplimiento de las leyes y ordenanzas.

c)   Dios nunca faltó a su promesa. Siempre cumplió lo pactado. La falla siempre estuvo de parte del pueblo.

2.- Dios desea nuestra prosperidad.

a)   Así como fue con el pueblo de Israel, Dios desea ser para con nosotros.

b)   El condicionamiento es el mismo. Nosotros cumplimos, Dios cumple.

c)   La prosperidad de Dios siempre nos beneficia, nunca nos perjudica.

3.- La prosperidad es consecuencia de nuestra nueva vida en Cristo.

a)   La conversión trae un cambio de actitud en la vida.

b)   La nueva visión de la vida nos hace comprender qué es lo malo y lo bueno.

c) Al acercarnos a Dios, automáticamente nos alejamos de los vicios.

d) Comenzamos a prosperar al abandonar el pecado.

Conclusión:

Todos anhelamos nuestra prosperidad. Dios también la quiere. Por lo tanto, siendo que está condicionada a nuestra manera de vivir, procuremos a través de una correcta **mayordomía** cumplir con la voluntad del Señor. Vivamos alegremente sabiendo que Dios velará por nuestras necesidades.

BOSQUEJO 30.2.
TÍTULO DEL MENSAJE:
No nos equivoquemos en el enfoque
Pasaje Bíblico: Salmos 1:3; 1ª Crónicas 29:10-16

Introducción:

La prosperidad es consecuencia de nuestra conversión. Esto lo hemos experimentado todos los creyentes. Sin embargo debemos aclarar que no es instantánea sino progresiva. Presentar un evangelio basado en la prosperidad inmediata es estar fuera de la verdad bíblica.

1.- La prosperidad no es cosa instantánea.

a) La prosperidad no es un milagro instantáneo. Tiene su tiempo. Pero es segura.

b) La experiencia de los creyentes a través del tiempo lo confirma.

c) Prediquemos siempre la verdad bíblica sobre la prosperidad.

2.- La prosperidad es progresiva.

a) Comienza el día de nuestra conversión y se extiende a través de toda la vida.

b) La prosperidad no es sólo económica sino en todos los órdenes de nuestra vida.

c) La prosperidad es aliada de la nueva vida en Cristo.

3.- La prosperidad es consecuencia de nuestra conversión.

a)   Nuestro cambio de vida asegura la prosperidad.

b)   El evangelio no sólo nos da la seguridad de la salvación sino que nos prospera a través de una "vida abundante" que Cristo da.

c)   Si somos fieles al Señor, él será fiel con nosotros. Su Palabra lo asegura.

4.- Dios desea que seamos mayordomos prósperos.

a)   La prosperidad no es sólo un deseo humano. Dios desea nuestra prosperidad.

b)   Él desea lo mejor para nosotros, por eso espera también que nosotros le sirvamos como lo ha establecido.

c)   A través de una plena **mayordomía** de nuestras vidas, sometidas bajo la soberanía de Cristo, lograremos alcanzar la prosperidad que Dios desea darnos.

Conclusión:

Vivamos confiados y seguros de que Dios nos prosperará de acuerdo a como nosotros asumamos la responsabilidad que Él ha puesto en cada creyente. Lo asegura la Palabra de Dios y la experiencia de nuestros mayores.

BOSQUEJO 30.3.

TÍTULO DEL MENSAJE:

Prosperando como Dios lo desea

Pasaje Bíblico: Salmos 73:1-28; 3ª Juan 1:4; Salmo 1:3

Introducción:

La prosperidad que Dios nos otorga es segura y eterna porque no obedece a intereses humanos, sino a lo que Dios entiende que nos conviene. Su alcance es a todos los valores de la vida. La prosperidad de Dios es positiva.

1.- La prosperidad y el crecimiento espìritual.

a)   Por su naturaleza, la prosperidad de Dios está ligada al crecimiento espiritual del creyente.

b)   Es un regalo de Dios, pero sólo para aquellos que demuestren haber comprendido el plan de redención.

c)   La prosperidad que podemos ver en el mundo es efímera, no trae felicidad eterna.

2.- La prosperidad y la obra de Dios.

a)   Así como somos salvados para salvar, somos prosperados para prosperar.

b)   Nuestra prosperidad debe ser también prosperidad para la Obra del Señor.

c)   Debemos desterrar nuestra aviricia pues ella es impedimento para que Dios nos prospere.

3.- Mayordomos eficientes de la prosperidad.

a)   Dios aumentará nuestra prosperidad cuando vea que estamos apoyando su Obra con todos nuestros dones, talentos y bienes.

b)   Debemos administrar la prosperidad de manera que la Obra del Señor cuente con todos los elementos que necesite.

c)   Somos sus **mayordomos**, por lo tanto Él espera que atendamos su Obra con lo mejor de nosotros.

Conclusión:

Seamos creyentes conscientes y responsables de la prosperidad que Dios nos envía, a través de una **Mayordomía Total** sirvamos al Señor con los mejores deseos participando en su Obra con todo lo que somos, sabemos y tenemos.

ILUSTRACIONES Y AYUDAS: Bosquejos 30.1 al 30.3.

1.- Volver la vista para ver el pasado.

Lo que ha sido mi experiencia personal es también la de muchos cristianos. Considerar la prosperidad que Dios ha traído a nuestra vida. Solamente tenemos que mirar atrás y fijarnos en la condición social, moral, espiritual y educacional en que nos encontrábamos cuando conocimos al Señor y compararnos con la actualidad. Allí veremos cómo el Señor nos ha prosperado. A veces nos olvidamos y dejamos de darle gracias a Dios.[1]

2.- El desarrollo de los miembros de nuestras iglesias.

Cuando era joven analizaba el estado de las iglesias donde yo me había criado, casi todas ellas con gente de clase media hacia abajo, me preguntaba ¿cuándo podremos avanzar enérgicamente en el país como evangélicos? En aquel entonces casi no había profesionales en nuestras iglesias. Sin embargo al pasar el tiempo Dios bendijo a nuestro pueblo y hoy hay iglesias donde en su mayoría son profesionales, comerciantes, industriales, obreros especializados, empleados, etc. La única duda que me queda ahora es ¿recibió la obra del Señor la parte que le corresponde de esa prosperidad que Dios nos dio? Si respondemos sí, está bien, pero si debemos decir no, ¡entonces estamos con cuentas pendientes ante Dios![1]

3.- Mi prosperidad debe ser utilizada en favor de quién me la dio.

Si hemos recibido muestras de prosperidad de parte de Dios, debemos utilizarla en su nombre y para su honra y gloria. Retener para nosotros toda la prosperidad es pecado y es estar en falta con Dios. ¿Queremos prosperidad? ¡Estemos a cuenta con el Señor de la prosperidad![1]

4 ¿Señor, qué traje voy a ponerme?

Un amigo mío, hijo de pastor, muy activo en la enseñanza de la mayordomía, me confesó, un día que estábamos en un congreso de **mayordomía,** una de sus gratas experiencias con el Dios de la prosperidad: En su infancia y adolescencia tuvo que vestir ropa de terceros pues sus padres no tenían suficiente dinero para comprarle las que hubiera necesitado. Esto creó en él un trauma, ya que sus amigos cuando le veían le saludan con el nombre de la persona que anteriormente había utilizado la ropa, "chau Ramón, chau Mario, chau Carlos" [pueblo chico, infierno grande].

Convencido de su responsabilidad como **mayordomo** de Dios, comenzó a diezmar apenas comenzó a trabajar, [mientras estudiaba hasta recibirse de Contador Público]. Siempre fue un celoso diezmero. Con el correr del tiempo Dios lo prosperó enormemente, a tal punto que después de conseguir su título de Contador Público, pudo establecer un negocio de venta de ropa masculina, en un importante barrio de la ciudad donde en aquel entonces vivía.

La noche antes de la inauguración, se dirigió al subsuelo del edificio donde tenía el depósito de la mercadería, se abrazó a los cientos de trajes que allí había, y de rodillas, llorando y orando agradeció a Dios la prosperidad recibida:

—¡Señor, no tenía ni un traje, ahora no sé cuál ponerme de los tantos que hay aquí! ¡Son todos míos! ¡Gracias, Señor![1]

31.- LA MAYORDOMÍA Y LA OBRA MISIONERA

"...Id por todo el mundo...". La obra misionera es una de las principales responsabilidades del **mayordomo** fiel. No puede haber obra misionera sin **Mayordomía Total.** Ambas están perfectamente entrelazadas en el Nuevo Testamento.

La obra misionera necesita hombres y mujeres dispuestos a llevar el evangelio a todas las naciones; también necesita de la oración y de las ofrendas. La **Mayordomía Total** es la encargada de proveer todos esos elementos.

Si queremos realizar obra misionera sin enseñar **Mayordomía Total fracasaremos, pues no tendremos respuesta adecuada a nuestros requerimientos. En cambio si enseñamos Mayordomía Total** en forma permanente, automáticamente comenzarán a aparecer los hombres y mujeres para las misiones, habrá gente orando y ofrendando y cuando desafiemos a los creyentes a la obra misionera veremos respuestas sorprendentes.

Animemos a nuestro pueblo cristiano para que la obra misionera sea un imperativo en sus vidas y planes. Ayudemos a los hermanos a ser fieles **mayordomos** de la voluntad del Señor. De esa forma el evangelio llegará hasta lo "último de la tierra".

BOSQUEJO 31.1.
TÍTULO DEL MENSAJE:
La mayordomía, base de la obra misionera
Pasaje Bíblico: Mateo 28:18-20; Efesios 4:11-16

Introducción:

Una iglesia es iglesia en proporción a como es misionera. La iglesia surgió como consecuencia de la obra misionera. Necesitamos por lo tanto como iglesia ocuparnos para que la obra misionera siga adelante.

1.- La obra misionera un desafío permanente.

a) Las misiones no deben ser programas circunstanciales de la iglesia, sino permanentes.

b) Cada creyente debe considerarse comprometido con las misiones todo el tiempo.

c) El programa misionero debe ser tanto local, nacional, como extranjero.

2.- La iglesia y la obra misionera.

a) La iglesia debe tener siempre un agresivo programa misionero.

b) El desafío debe ser tanto para el aporte de hombres y mujeres, como para la contribución económica.

c) La oración intercesora en favor de las misiones debe ser otro desafío para la iglesia.

3.- La mayordomía y las misiones.

a) La **mayordomía** en la vida de los creyentes es fundamental para las misiones.

b) La **mayordomía** proveerá a las misiones de recursos humanos.

c) La **mayordomía** proveerá a las misiones de creyentes para la oración intercesora.

d) La **mayordomía** proveerá a las misiones de recursos financieros.

Conclusión:

Mayordomía y misiones son inseparables. En el Nuevo Testamento notamos cómo ambas fueron puntales en las iglesias del primer siglo. La capacitación de los miembros como lo recomienda el apóstol Pablo a la iglesia de Éfeso es fundamental. Recojamos nosotros el desafío y logremos un amplio programa de misiones en forma permanente para la iglesia, con recursos humanos y económicos propios.

BOSQUEJO 31.2.
TÍTULO DEL MENSAJE:
Sin mayordomía no hay obra misionera
Pasaje Bíblico: 1ª Tesalonicenses 1:2-10; 1ª Pedro 4:10-11

Introducción:

No podemos hacer obra misionera si no contamos con los recursos necesarios. Debemos capacitar y desafiar a los creyentes para que apoyen la obra misionera. La **Mayordomía Total** hará posible el sueño de una obra misionera agresiva y amplia.

1.- La obra misionera necesita hombres y mujeres.

a)   "...Señor envía obreros a la mies..." es el clamor de la obra misionera.

b)   Debemos ser enseñados de tal forma que consideremos la posibilidad de que nosotros y nuestros hijos, seamos candidatos para las misiones.

c)   Recordemos que la obra misionera comienza en el hogar, y se extiende hasta lo último de la tierra. Todos somos misioneros, no sólo los que van al extranjero.

2.- La obra misionera necesita recursos económicos.

a)   Nada se puede hacer sin inversiones económicas; mucho menos obra misionera.

b)   ¿De dónde vendrán los recursos? ¿Lo traerán los ángeles de Dios o Dios lo pondrá en el bolsillo del **mayordomo** fiel?

c)   Aquí es donde necesitamos demostrar el grado de **mayordomía** de nuestra vida. La iglesia sólo recibirá el dinero si nosotros somos fieles **mayordomos**. No cerremos la ventana de los cielos con nuestra actitud.

3.- La obra misionera necesita oración.

a)   Cuando hayamos logrado los recursos humanos y económicos, necesitaremos de la oración.

b)   La iglesia debe ser un apoyo permanente en la oración por las misiones.

c)   Cada hogar y cada creyente debe ser un intercesor ante el trono de la gracia para que Dios bendiga nuestra labor misionera.

4.- La Mayordomía Total y el Espíritu Santo proveedores de recursos.

a)   A través de una agresiva **mayordomía** y con el apoyo del Espíritu Santo de Dios, la iglesia contará con los recursos necesarios.

b)   El Espíritu Santo moviéndose en libertad dentro de la iglesia tocará los corazones y las personas se consagrarán para la obra misionera.

c)   Dios por medio de la consagración de los miembros de la iglesia hará posible que los recursos económicos lleguen a la iglesia para las misiones.

Conclusión:

El éxito que alcanzaron los hermanos de Tesalónica podrá ser también nuestro éxito cuando con la participación del Espíritu Santo de Dios nos lancemos a la conquista de aquellos que están sin Dios y sin esperanza, a través de una obra misionera agresiva. Entonces demostraremos que somos fieles **mayordomos** del Señor.

BOSQUEJO 31.3.
TÍTULO DEL MENSAJE:
Dios y la obra misionera
Pasaje Bíblico: Hechos 1:8, 8:26-40, 9:1-19, 10:1-48, 11:19-30, 13:1-3.

Introducción:

La obra misionera es de Dios y nos fue encargada a quienes Cristo redimió en la cruz del calvario. Su participación es imprescindible y Él se hace presente a través de su Espíritu Santo. Nuestra responsabilidad es darle participación.

1.- Dios participa de las misiones.

a) Las misiones fueron creadas por Dios como medio para llevar las buenas nuevas a los perdidos.

b) Jesús a través de la Gran Comisión lo confirmó.

c) La presencia del Espíritu Santo le da actualidad.

2.- El Espíritu Santo en el Nuevo Testamento.

a) En los primeros tiempos el Espíritu Santo tomó la iniciativa.

b) Se movió en distintas direcciones impulsando la labor de los apóstoles.

c) Intervino en el llamamiento del apóstol Pablo y en sus viajes misioneros.

3.- No podemos prescindir de su colaboración.

a) Nosotros no podemos ignorarlo. Sería detener la acción de Dios en su obra misionera.

b) Sin la participación del Espíritu Santo nuestra tarea misionera no sería completa.

c) Debemos dejarnos guiar por el Espíritu Santo al realizar los planes para la obra misionera.

Conclusión:

Como en el libro de los Hechos de los Apóstoles, nosotros podemos realizar la obra misionera dirigida por el Espíritu Santo si le damos participación. Como **mayordomos** del Señor debemos demostrar nuestra fidelidad disponiéndonos a realizar una obra misionera acorde con la grandiosidad de Dios.

ILUSTRACIONES Y AYUDAS: Bosquejos 31.1 al 31.3.

1.- La respuesta a un clamor.

Un día, tarde en la noche, Albert Schweitzer regresó de la universidad donde trabajaba como profesor. Estaba tan cansado que prestó poca atención a las cartas que su ama de llaves había depositado sobre su escritorio, de manera que las hojeaba de prisa, hasta que una revista con una cubierta verde llamó su atención. Hojeándola fijó su vista en un artículo escrito por Alfred Boegner titulado: "Las necesidades de la Misión del Congo".

"Aquí sentado en África", escribía Boegner, "oro a Dios pidiendo que los ojos de alguien sobre quien la mirada del Señor ha caído ya, lea y responda a este llamado diciendo: Heme aquí, Señor". Conmovido por la poderosa y ferviente invitación de Boegner para ir al Congo y ayudarles, Schweitzer inclinó su cabeza aquella noche y oró: "La búsqueda ha terminado. Yo iré".

Aquello le inspiró para convertirse en un misionero-médico. Schweitzer estudió medicina en la Universidad de Strasburgo, y en 1913 marchó para África donde empezó a servir en Lambaré, en el África Ecuatorial Francesa. Su primer hospital en la selva empezó en una cocina.

Cuando tomó la decisión de ser misionero-médico, Schweitzer era director de la Escuela de Teología Santo Tomás, en la Universidad de Strasburgo. Él era ya un escritor, teólogo, pastor y músico reconocido. Era el mejor intérprete al órgano de las composiciones de Juan Sebastián Bach. Pero sintiendo el llamado de Dios, dio las espaldas a todo prestigio y promesa de éxito y dedicó su vida a las misiones.[3] (adaptado).

2.- El Señor cuenta con nosotros.

Una vieja leyenda dice que cuando el Señor ascendió a los cielos, los ángeles le dieron la bienvenida. Le adoraron y alabaron por la obra de la redención realizada. El arcángel Gabriel, preocupado se le acercó y le preguntó:

—Señor, ¿qué planes tienes para lograr que todos en la tierra conozcan la obra redentora que has realizado?

El Señor respondió:

—Reuní a un grupo de hombres: Pedro, Juan, Andrés, Mateo, Bartolomé y los demás, y durante tres años estuve compartiendo con ellos, instruyéndoles y pidiéndoles que fueran en mi nombre por todo el mundo anunciando las buenas nuevas de salvación.

Sin estar del todo tranquilo Gabriel insistió preguntando:

—Señor, si los hombres fallan, ¿tienes algún otro plan para remediar sus fracasos o deserciones?

Jesús respondió:

—No. No tengo ningún otro plan. Sólo aquellos que me conocen personalmente y me reciben como Salvador y Señor pueden hacer la tarea. Sólo tengo a Pedro, Juan, Santiago y los demás.

¿Le estamos cumpliendo al Señor? ¿No se avergonzará de nosotros?[4] (adaptado).

32.- LA MAYORDOMÍA Y LAS NECESIDADES
DE LA IGLESIA

"...Mi Dios pues suplirá todo lo que os falte..." Cuando en una iglesia hay necesidades es porque algún sector de los miembros no está respondiendo adecuadamente como fiel **mayordomo.**

Dios ha prometido que Él proveerá todo lo que la iglesia necesite, sean valores humanos, espirituales o económicos. Por lo tanto, ante la falta de algo de esto, debemos mirarnos en el espejo de la Biblia y ver dónde le estamos faltando a Dios en nuestra tarea como **mayordomos.**

Por esa razón insistimos en la necesidad de enseñar a los creyentes acerca de la **Mayordomía Total** para que cada uno comprenda su responsabilidad para con el Señor. Lo que la iglesia necesita Dios lo envía a través de las familias y/o de los individuos de la iglesia. La enseñanza de la **Mayordomía Total** hará posible que muchas cosas que se quedaban en la familia y/o con los individuos, lleguen a la iglesia y cumplan allí con lo que Dios ha planeado.

No debemos tener temor de hablar con franqueza a los hermanos cuando lo que decimos está en la Biblia. Debemos tener temor cuando hablamos algo que no puede ser respaldado por la Palabra de Dios. Los hermanos estarán siempre dispuestos a obedecer la voluntad del Señor si le enseñamos la verdad con franqueza, y nos agradecerán por haberles permitido comprender esa verdad. Enseñar **Mayordomía Total,** es el mejor favor que le podemos hacer a los hermanos.

BOSQUEJO 32.1.
TÍTULO DEL MENSAJE:
La iglesia necesita la Mayordomía Total
Pasaje Bíblico: 1ª Pedro 2:9-10; Efesio 4:11-16;
Efesios 1:15-23

Introducción:

La iglesia es un conjunto de hermanos unidos para cumplir los planes de Dios en la tierra. Se requiere por lo tanto que todos estén participando de la tarea para que se puedan cumplir con éxito los planes trazados. Cuando alguno no coopera, el trabajo se entorpece. La enseñanza de una **Mayordomía Total** capacitará a los miembros para que todos participen en todo.

1.- La iglesia necesita los dones, talentos y bienes de sus miembros.

a) Dios reclama de cada creyente lo que es, lo que sabe y lo que tiene.

b) Los pide para el trabajo en su obra, pero no para que nosotros tengamos menos, sino para que Él pueda añadir más a lo que tenemos.

c) A nuestros dones congénitos Dios añadirá los dones espirituales como reconocimiento a nuestra entrega.

d) Lo mismo ocurrirá con nuestros bienes si le demostramos que confiamos en Él.

2.- La iglesia debe enseñar y capacitar a sus miembros en la mayordomía.

a) Se requiere educación y capacitación para que los hermanos desarrollen su **mayordomía**.

b) La capacitación hará posible que la iglesia cuente con suficiente colaboradores para sus necesidades.

c) Cuando el miembro haya entendido su responsabilidad como **mayordomo** del Señor y haya comprobado sus bendiciones, continuará colaborando permanentemente.

3.- Miembros activos logran una iglesia activa.

a) La Iglesia debe reclamar la participación de todos su miembros.

b) Cuando todos los miembros forman una unidad, la iglesia progresa.

c) Siempre una membresía activa logra una iglesia dinámica.

Conclusión:

Si somos un pueblo elegido debemos actuar en favor de la razón por la cual fuimos llamados. Para poder hacerlo debemos capacitarnos como la Palabra de Dios lo indica. Sólo así podremos comportarnos como fieles **mayordomos** sirviendo al Señor a través de la iglesia.

BOSQUEJO 32.2.
TÍTULO DEL MENSAJE:
El mayordomo fiel y las necesidades de la iglesia
Pasaje Bíblico: Lucas 12:41-48

Introducción:

La enseñanza de la **mayordomía** en la iglesia es garantía de capacitación de los miembros. Miembros capacitados serán siempre útiles a la iglesia para la realización de su ministerio.

1.- El mayordomo fiel provee con amor para las necesidades de la iglesia.

a) Conoce el ministerio de la iglesia.

b) Conoce las necesidades de la iglesia.

c) Su amor al Señor hará que él siempre apoye a la iglesia.

2.- El mayordomo fiel vive pensando en el progreso de su iglesia.

a) Su identificación es plena para con la iglesia y sus necesidades.

b) La iglesia formará parte de su vida y la de su familia.

c) Siempre estará preocupado por el progreso de la obra en su iglesia.

3.- Dios reclama y premia una mayordomía responsable.

a) La voluntad de Dios es que seamos fieles **mayordomos** de las responsabilidades que le ha dado a la iglesia.

b) La satisfacción del fiel **mayordomo** será saber que está cumpliendo correctamente con la voluntad de su Señor.

c) Dios siempre premiará la buena disposición del **mayordomo** fiel. En cambio castigará al mal **mayordomo.**

Conclusión:

Aprendamos la lección que Jesús nos da en la parábola del **mayordomo fiel.** Apliquemos esa enseñanza a nuestra vida para que seamos útiles en la iglesia a la cual el Señor nos ha congregado.

BOSQUEJO 32.3.
TÍTULO DEL MENSAJE:
Toda bendición para la iglesia viene a través de las familias
Pasaje Bíblico: Deuteronomio 6:1-9;
2ª Timoteo 1:3-5, 3:14-17.

Introducción:

La capacitación en la iglesia debe alcanzar también a las familias. A mejores familias mejores iglesias, ello nos debe motivar para que tratemos siempre de lograr que las familias crezcan como un centro de unidad espiritual.

1.- La familia depositaria de la trasmisión de la fe.

a) Dios responsabilizó a los padres para que transmitieran la fe de generación en generación.

b) Es la familia la depositaria de la fe.

c) Una familia unida espiritualmente es un baluarte contra el mal.

2.- La familia recurso de asistencia para la iglesia.

a) La familia espiritual respalda el ministerio de la iglesia.

b) De una familia fortalecida en la fe saldrán los siervos para la obra del Señor.

c) De una familia fortalecida en la fe y activa en la iglesia saldrán los recursos económicos necesarios.

3.- Las bendiciones van a la familia y de allí a la iglesia.

a) Debemos tener en cuenta que todos los recursos que la iglesia necesita, primero van a la familia.

b) Por ello la iglesia debe tratar de fortalecer a la familia, para contar con el apoyo de ella.

c) Dios ha utilizado el sistema de bendecir a la familia para que sea bendecida la iglesia. Por lo tanto nosotros no podemos ignorarlo.

4.- La Mayordomía Total en la familia asegura el éxito de la iglesia.

a) Será por lo tanto a través de una **mayordomía total** que la iglesia podrá capacitar a la familia.

b) De esa manera, de la familia saldrán los **mayordomos** fieles para apoyar la tarea de la iglesia.

c) También de esa manera saldrán los **mayordomos** fieles para respaldar económicamente a la iglesia.

Conclusión:

Debemos aprender de los ejemplos mencionados en la Biblia donde las familias cumplieron con la voluntad del Señor. También de la historia de la iglesia y de nuestros mayores, debemos rescatar a aquellos ejemplos de fidelidad familiar, para aplicarlos a nuestras familias para que sean transmisoras de la fe.

ILUSTRACIONES Y AYUDAS: Bosquejos 32.1 al 32.3.

1.- El camino correcto.

La iglesia tiene sus necesidades, éstas son tanto de voluntades para la tarea como de apoyo económico. Dios sabe que la iglesia tiene esas necesidades, ¿cuál es el camino entonces a través del cual Él enviará ayuda? Indiscutiblemente es por medio del creyente que integra la familia. De allí, como grupo reponsable ante el Señor, vendrán las voluntades para el trabajo y los requerimientos económicos.

De la manera como seamos capaces de responder a su llamado, será el grado de bendiciones que recibiremos. Nuestra responsabilidad es responder con lo que tenemos. Muchos quieren esperar a tener más para empezar a dar, pero es una posición equivocada. Dios nos irá dando a medida que damos y si Él entiende que tiene que aumentar sus ayudas lo hará, para que nosotros seamos suficientes para atender las necesidades de la iglesia. De la otra forma, siempre estaremos con déficits. Recordemos lo comentado cuando vimos la gracia de dar.[1]

2.- Dios lleva la parte más pesada.

Comenta el predicador Dr. James Crane un incidente en su niñez que le ayudó después a entender más el amor de Dios. "Estaba visitando a mis abuelos maternos quienes vivían en una casa que no tenía tubería de agua en el interior. El agua tenía que ser traída desde un manantial cercano.

«Un día una de mis tías nos mandó a mi prima y a mí a que trajéramos un balde de agua. Mi prima, quien era tres años mayor que yo, recogió el balde, juntamente con un palo corto y grueso y salimos para el manantial. Al llegar allí, mi prima llenó el balde, metió el palo por el asa y me ordenó agarrarlo por el extremo más cercano a mí.

«Al hacerlo ella tomó el otro extremo del palo y luego hizo algo muy bondadoso. Deslizó el asa más cerca de su propia mano. Ella sabía que yo no era muy fuerte. Así que tomó la parte más pesada de la carga y me dejó llevar solamente lo que yo podía.

«Esta es la forma en que Dios trata a sus hijos. La vida está llena de cargas que tienen que ser llevadas. Tenemos muchas responsabilidades con la iglesia y tenemos que cumplirlas. Nuestro desarrollo espiritual depende de aceptar esas cargas y llevarlas en obediencia a nuestro Dios. Pero el Señor no nos deja solos sino que nos ayuda llevando la parte más pesada. Este es el sentido de la Palabra de Dios en Hebreos 4:15-16».[4] (adaptado).

33.- LA MAYORDOMÍA Y LA NATURALEZA

"...El sembrador salió a sembrar..." La **Mayordomía Total** y la naturaleza tienen mucho en común. Cuando el sembrador cultiva la tierra, la prepara y abona adecuadamente para depositar luego las semillas, lo hace sabiendo que la naturaleza será pródiga y aumentará considerablemente los granos que él le confía. Cuando llegue la cosecha, por cada semilla, la naturaleza le estará entregando una mayor cantidad. La naturaleza es benévola y multiplica abundantemente los frutos.

Una persona avara puede guardar para sí sus granos de maíz en su puño cerrado. Los cuenta cuando se acuesta y cuando se levanta y se jacta de ellos y se siente orgulloso. Vive siempre con ellos hasta su muerte. La naturaleza lo contempla y siente pena por él. Piensa que si esa persona avara hubiera confiado sus semillas a la naturaleza, la generosidad de la tierra le hubiera devuelto cientos de granos, y en toda su vida podría haberlos resembrado cosechando cada vez más granos. Pero su avaricia le impidió tener ese premio.

En la vida espiritual ocurre lo mismo. Un creyente que retiene para sí sus atributos y no los confía a la obra del Señor, pierde la oportunidad de que Dios los bendiga y multiplique recibiendo cada vez más para que pueda dar más. Su avaricia y falta de fe le impiden a Dios bendecirlo. ¡Qué pena! Se conforma con tan poco, cuando tiene un Dios para darle mucho. Por eso la **Mayordomía Total** es imprescindible para enseñarles a cada uno de los creyentes los verdaderos valores que se pueden lograr siendo fieles **mayordomos** de lo que Dios nos confía.

La **Mayordomía Total** parte de los mismos principios que la naturaleza. Ambas son creación de Dios.

BOSQUEJO 33.1.
TÍTULO DEL MENSAJE:
Las leyes de la naturaleza
Pasaje Bíblico: Lucas: 8:4-15

Introducción:

La siembra y la cosecha están supeditadas a la ley de la naturaleza. La voluntad del hombre no puede vulnerar esa ley. La naturaleza siempre se impone. Sin embargo es una ley generosa y el hombre debe aprovechar su generosidad.

1.- La naturaleza responde a la siembra.

a) Su ley establece que lo que el hombre siembra ella lo respeta.

b) Si sembramos mucho nos devolverá mucho.

c) Si sembramos poco nos devolverá poco.

2.- La naturaleza es generosa.

a) Su ley siempre devuelve más de lo que el hombre le confía.

b) Nosotros sembramos un grano, ella nos da muchos más. Su respuesta es generosa.

c) El avaro siempre pierde con la naturaleza.

3.- Necesitamos sabiduría en la siembra.

a) La lección debemos aprenderla para nuestro beneficio.

b) Si somos generosos, la naturaleza será generosa.

c) Si somos mezquinos, ella será mezquina también.

4.- Cosechamos lo que sembramos.

a) Dios tiene la misma ley que la naturaleza.

b) Si le entregamos nuestos dones, talentos y bienes, Él los devolverá con generosidad.

c) Si le escatimamos nuestros dones, talentos y bienes, Él también mezquinará las bendiciones.

d) Los avaros siempre pierden con Dios.

Conclusión:

Debemos aprender de la ley de la naturaleza y de la ley de Dios. Podemos multiplicar nuestros dones, talentos y bienes, o podemos quedarnos solamente con lo que tenemos sin alcanzar a vivir la vida en plenitud como Dios desea. La elección es nuestra; seamos sabios **mayordomos** y vivamos la vida victoriosa en Cristo.

BOSQUEJO 33.2.
TÍTULO DEL MENSAJE:
Las leyes de Dios y la naturaleza
Pasaje Bíblico: Génesis 2:4-24; Éxodo 20:1-17

Introducción:

Dios estableció leyes para que el ser humano viviera de acuerdo a su voluntad respetando la moralidad, la santidad y la soberanía de Dios. Cuando el hombre olvida estas leyes, está violando la voluntad de Dios. Es por eso que el hombre recibe en el mundo los castigos que Dios estableció por su pecado. Las leyes de Dios guardan la misma relación que las leyes de la naturaleza.

1.- El hombre creado, sujeto a las leyes de Dios.

a)   Dios creó al hombre, por lo tanto tiene derecho a establecerle una forma de vida.

b)   El hombre, creación divina, debe respetar las leyes de Dios.

c)   Cuando el hombre no las respeta está en pecado y se aleja de las bendiciones de Dios.

2.- Las leyes de Dios son generosas como las de la naturaleza.

a)   Las leyes de Dios para el hombre tienden a lograr su bienestar.

b)   Las leyes de Dios ayudan a la vida moral y espiritual.

c)   Las leyes de Dios nos alejan de los vicios y sanean nuestra economía.

3.- Respetar las leyes de Dios, desafío para todo creyente.

a)   El respeto a las leyes de Dios asegura bendiciones.

b)   Cada creyente debe aprender a vivir respetando las leyes de Dios.

c)   Como **mayordomos** de Dios debemos preocuparnos por el cumplimiento de sus leyes.

Conclusión:

Así como la naturaleza premia la confianza del sembrador, Dios también premia a quien confía en Él y respeta sus leyes y ordenanzas. Debe ser nuestra preocupación en todo tiempo servir al Señor a través de una sabia **mayordomía**.

BOSQUEJO 33.3.
TÍTULO DEL MENSAJE:
La naturaleza y la avaricia
Pasaje Bíblico: Efesios 5:5; Lucas 12:13-21

Introducción:

La avaricia es un pecado. La Palabra de Dios lo aclara muy bien. Necesitamos advertir a nuestros hermanos en las iglesias de los riesgos que corren aquellos que confían en sus posesiones desconociendo el poder de Dios para ayudarles.

1.- La naturaleza responde a nuestra confianza.

a)   Si sembramos generosamente, también segaremos generosamente.

b)   Si sembramos escasamente, también segaremos escasamente.

c)

La naturaleza responde a la manera como nosotros obramos.

2.- Podemos confiar nuestra semilla a la naturaleza.

a)   Tenemos libertad para sembrar como querramos.

b)   La experiencia nos muestra que podemos confiar en la naturaleza.

c)   Por eso sembramos con abundancia y esperanza.

3.- Podemos quedarnos con la semilla en nuestro poder.

a)   Si no tenemos confianza en la naturaleza podemos quedarnos con las semillas.

b)   Podemos sentirnos orgullosos pensando en las semillas que tenemos en nuestro poder.

c)   Pero la naturaleza nos dirá: ¡Qué pena! Si hubieran confiado en mí, en vez de un puñado de semillas yo les hubiera devuelto cientos de ellas y cada vez que huibieran confiado en mí yo las seguiría multiplicando.

4.- Nuestros dones, talentos y bienes siguen el mismo camino.

a)   Al igual que la naturaleza, la ley de Dios también es multiplicadora.

b)   Si confiamos nuestros dones, talentos y bienes al Señor, Él nos los devolverá multiplicados.

c)   Por esta razón debemos estar dispuestos a servirle en todo momento, invirtiendo con sabiduría lo que somos, sabemos y tenemos.

5.- Que no nos traicione la avaricia.

a)   El avaro sólo piensa para sí.

b)   Siempre desconfía de su prójimo.

c)   Por no invertir en el reino de los cielos, se pierde las bendiciones que Dios podría darle.

d)   ¡Cuidado! No sea que nos ocurra lo mismo.

Conclusión:

Cuando confiamos nuestras posesiones a Dios le estamos diciendo que creemos en su poder y en su poder multiplicador, a la vez que le reconocemos como nuestro Dios proveedor. Cuando negamos a Dios nuestras posesiones, simplemente le estamos diciendo que no creemos en su poder ni en su poder multiplicador, sino sólo en nuestras posesiones. Seamos buenos **mayordomos** de nuestra vida y gocemos de las bendiciones de Dios.

ILUSTRACIONES Y AYUDAS: Bosquejos 33.1 al 33.3.

1.- La majestuosidad del pino.

Siempre tuve presente la majestuosidad de los pinos, que en las cumbres de las montañas resisten los fuertes vientos y lluvias que normalmente les azotan. Siempre los vi erguidos y fuertes. En una oportunidad en que estaba tomando unos días de vacaciones con mi esposa en una zona muy hermosa del sur de Argentina, al recorrer los lagos de Bariloche, observé que muchos pinos que componen los inmensos bosques de esa zona, estaban caídos.

Me llamó mucho la atención esa situación de modo que le pregunté al guardabosque, cuál era la razón de que cayeran tantos árboles. Su respuesta me develó la incógnita:

—Como aquí hay mucha humedad, el árbol no profundiza sus raíces, más bien corren debajo de la superficie de la tierra. Por eso no tienen mucha resistencia para soportar los embates de los vientos y caen. En las montañas es diferente, el agua está muy abajo y la planta para subsistir envía sus raíces hasta lo más profundo, de manera que la planta se hace fuerte y puede resistir los vientos y permanecer erguida.

Me di cuenta enseguida por qué aquellos cristianos que tienen muchas pruebas resultan ser los más fieles y de mayor fortaleza espiritual. Ellos necesitan profundizar sus raíces en la fe y amor del Señor y eso les fortalece. Mientras el cristiano que no tiene mucho embate, camina por este mundo sin mucha profundidad y fortaleza y los ataques del enemigo pueden hacerle caer.[1]

2.- Semillas que germinaron para la honra y gloria de Dios.

Cuando la iglesia Young Nak fue establecida en 1946, con veintisiete refugiados norcoreanos, se reunían en una montaña en Seúl. Todo lo que tenían era una destartalada tienda de campaña. Un domingo, el peso de la nieve que se estaba derritiendo hundió la tienda. Todos los miembros de la iglesia eran terriblemente pobres, no tenían dinero. Pero a pesar de ello el joven pastor, el Dr. Han, sugirió que necesitaban un edificio para la iglesia, lo cual parecía una imposibilidad.

Una señora de la congregación dijo que no tenía dinero, pero que estaba dispuesta a dar su anillo de matrimonio. Otra señora dijo que aparte de la ropa que llevaba puesta, su única posesión era una colcha que entregaría al fondo de la iglesia. Ella dormiría cuando otra mujer que vivía con ella se despertase y utilizaría la colcha de esa otra mujer. Una tercera señora dijo que todo lo que tenía era una cuchara y un cuenco para el arroz, y eso fue lo que dio. Tomaría prestada la cuchara y el cuenco de su amiga.

El dinero comenzó a llegar. Entonces empezó la edificación de un magnífico templo para la iglesia. En 1950 llegaron los comunistas del norte y empujaron a los surcoreanos casi hasta el mar. Durante la guerra de Corea, los comunistas convirtieron el templo en un depósito de municiones. Transcurrieron así cuatro años antes de que los miembros de la iglesia del doctor Han pudieran regresar a Seúl para adorar en aquel edificio.

Justamente cuando las fuerzas de las Naciones Unidas hicieron retroceder a los comunistas, un anciano de la iglesia de Young Nak fue al edificio para examinar su estado, sin darse cuenta que había comunistas escondidos en su interior, lo detuvieron y le dijeron que le iban a matar. Antes de dispararle le concedieron su petición de dedicar un momento a la oración.

Si usted visita la iglesia Presbiteriana Young Nak en Seúl hoy, verá usted una sepultura justo a la derecha de la puerta principal. Es el lugar donde enterraron el primer mártir de esa iglesia. Los contratiempos, los desalientos, el martirio y las oposiciones, fueron lo que tuvieron que afrontar los miembros de la iglesia Young Nak; pero a pesar de ello, su persistencia, que tiene su origen en la fe en Dios, les hizo seguir adelante. En la actualidad esa es la iglesia presbiteriana más grande del mundo. John Haggai.[4] (adaptado).

ORIGEN DE LAS ILUSTRACIONES Y AYUDAS:

1.- Del archivo del autor.
2.- Enciclopedia de Anécdotas. S. Vila. Editorial CLIE.
3.- Ilustraciones Selectas-tomo 2-. J.L. Martínez. Editorial CBP.
4.- Ilustraciones Selectas-Tomo 1- J.L. Martínez. Editorial CBP.